A GUERRA CONTRA O BRASIL

JESSÉ SOUZA

A GUERRA CONTRA O BRASIL

COMO OS EUA SE UNIRAM A UMA ORGANIZAÇÃO CRIMINOSA PARA DESTRUIR O SONHO BRASILEIRO

ESTAÇÃO
BRASIL

Copyright © 2020 por Jessé José Freire de Souza

Todos os direitos reservados. Nenhuma parte deste livro pode ser utilizada ou reproduzida sob quaisquer meios existentes sem autorização por escrito dos editores.

edição: Pascoal Soto
preparo de originais: Rafaella Lemos
revisão: Luis Américo Costa e Taís Monteiro
projeto gráfico e diagramação: Natali Nabekura
capa: Mateus Valadares
impressão e acabamento: Bartira Gráfica

CIP-BRASIL. CATALOGAÇÃO NA PUBLICAÇÃO
SINDICATO NACIONAL DOS EDITORES DE LIVROS, RJ

S715g   Souza, Jessé

       A guerra contra o Brasil / Jessé Souza. Rio de Janeiro: Estação Brasil, 2020.
       208 p.; 16 x 23 cm.

       ISBN 978-85-5608-058-5

       1. Brasil – Política e governo – História – Séc. XXI. I. Título.

20-62341   CDD: 320.981
                                         CDU: 32(81)

Todos os direitos reservados, no Brasil, por
GMT Editores Ltda.
Rua Voluntários da Pátria, 45 – Gr. 1.404 – Botafogo
22270-000 – Rio de Janeiro – RJ
Tel.: (21) 2538-4100 – Fax: (21) 2286-9244
E-mail: atendimento@sextante.com.br
www.sextante.com.br

Para Pascoal Soto, editor brilhante e amigo generoso.

"Há um incêndio no interior de um teatro. O palhaço sobe ao palco para avisar o público; eles pensam que é uma piada e aplaudem. O palhaço repete e é aplaudido com mais entusiasmo. É como eu penso que o mundo chegará ao seu fim: sendo aplaudido por testemunhas que acreditam que tudo não passa de uma piada."

— Søren Kierkegaard
Ou isto ou aquilo

Sumário

Introdução 11

A CONSTRUÇÃO DA IDEOLOGIA DO IMPERIALISMO INFORMAL AMERICANO

O racismo científico que finge não ser racista 18
A fábrica do consenso: a elite funcional do império 50
    A expansão global do Estado americano 54
    A produção do consentimento: a ideologia americana
        e a guerra contra o próprio povo 66
A guerra híbrida: ideias envenenadas e juízes corruptos
no lugar de bombas e balas 81

A ELITE COLONIZADA BRASILEIRA E SUA ESTRATÉGIA: A TRANSFORMAÇÃO DO RACISMO EM MORALISMO

Uma elite neocolonial sem projeto nacional 106
A formação do pacto racista e elitista contra o povo 111

AS METAMORFOSES DO NEOLIBERALISMO
Da guerra contra os pobres à guerra entre os pobres **130**
A gênese americana da destruição do sonho brasileiro **145**
A vertigem do racismo à brasileira **165**

Notas **195**

Introdução

Nenhuma relação econômica de dominação se constitui sem a elaboração de uma trama simbólica de ideias e valores que a legitimam e justificam. Nosso objetivo aqui é reconstruir a origem dessas ideias e valores na relação entre Brasil e Estados Unidos e analisar como foram utilizados para interromper, mais uma vez, o processo democrático de soberania brasileira nos anos recentes.

Embora o vínculo nacional seja uma dimensão importante, não se trata aqui de oposição entre nações, mas sim da condução pela elite americana de um processo imperialista de dominação mundial, inclusive sobre o seu próprio povo. Nesse sentido, tudo que aconteceu no planeta desde o começo do século XX teve a influência decisiva americana – seja para o bem, seja para o mal. Isso é verdade em todas as dimensões da vida: econômica, política, social e cultural. Este livro reconstrói as precondições históricas que possibilitaram esse desenvolvimento e investiga as causas profundas desse fato.

Como são sempre as ideias (e os valores morais a elas ligados) que interpretam, arregimentam e direcionam os interesses e as paixões individuais e coletivas, será nelas, em primeiro lugar, que concentraremos nosso interesse.

As "ideias americanas", que servirão como justificação do império informal americano, irão se mostrar como "superação" de todo racismo e preconceito, quando, na realidade, constroem um racismo ainda mais sofisticado. Uma adaptação quase perfeita para um tipo de imperialismo baseado na influência econômica e cultural indireta, que substitui com vantagens a dominação militar direta, custosa e violenta.

A elite americana irá testar no próprio país, contra suas próprias classes populares e trabalhadoras, todas as ideias e estratégias de domínio cultural e político que utiliza para garantir a longevidade de seu domínio econômico. Nesse sentido, conhecer a história da produção do consentimento social nos Estados Unidos é compreender também as várias etapas do processo global de dominação. Isso é especialmente verdade para o caso brasileiro: um país cuja "identidade nacional" foi construída em referência direta aos vizinhos norte-americanos e cuja dinâmica econômica, política e social interna irá se construir sob a influência americana.

Este livro completa e se une ao esforço que empreendi, em livros anteriores, para compreender de modo alternativo e crítico tanto a história quanto a dinâmica da sociedade brasileira. Ele representa, por assim dizer, a consideração de sua dinâmica externa mais importante da nossa sociedade, que se soma aos estudos tanto teóricos quanto empíricos da dinâmica interna – reconstruída a partir das classes sociais e de suas relações à sombra da influência continuada da escravidão como o dado principal.

O sucesso de *A elite do atraso* se deu, em grande medida, por ser uma leitura totalizante da história e da sociedade brasileiras que considera a escravidão sua influência principal até os dias atuais.

O que muda nessa interpretação é que a escravidão, que não existia em Portugal, ganha o status de fator principal que determina todos os outros. Em vez de perceber a formação brasileira como uma herança cultural portuguesa que se alonga em personalismo, patrimonialismo, cordialidade, "jeitinho brasileiro" e outros tantos, como imagina o pensamento hegemônico até hoje, a institucionalização do escravismo passa a ser percebida como a origem fundamental de toda a vida material e simbólica brasileira. Precisamente por nunca ter sido criticada adequadamente, essa herança continua a existir sob formas e máscaras modernas. Duas décadas de estudos empíricos com todas as classes sociais me permitiram perceber as manifestações atuais desse fenômeno na sociedade brasileira.

O que é decisivo em uma explicação é, afinal, a hierarquia entre as ideias. Ninguém nunca negou a existência da escravidão. Mas esse dado jamais foi posto como a explicação fundamental de toda a vida econômica, política e social brasileira em todas as suas manifestações principais. O que é fundamental aqui, vale lembrar, não é a mera reconstrução histórica do escravismo, por mais importante que esta seja para o trabalho sociológico. O mais significativo é perceber como tanto a relação entre as classes sociais quanto a justificação simbólica da dominação social como um todo implicam uma continuidade da escravidão, mesmo com o advento do trabalho livre e do sufrágio universal. Rapidamente apropriado por escolas de samba, artistas, políticos importantes e por boa parte da sociedade brasileira mais crítica, hoje esse ponto de vista já não é mais individual. Tornou-se coletivo. E é bom que seja dessa forma. Só assim ele será capaz de produzir frutos sociais duradouros.

Neste livro, essa ideia é radicalizada. O estudo empírico da classe média que realizei em *A classe média no espelho* e a reflexão sobre a assombrosa ascensão política do bolsonarismo me fizeram compreender melhor o notável papel do racismo "racial" como o interdito, o assunto proibido, e a verdade reprimida mais importante da sociedade brasileira. Tendo estudado empiricamente todas as classes sociais no Brasil nos últimos vinte anos,[1] percebi com clareza como esse racismo "racial" recobre perfeitamente as relações de classe entre nós.

Como falar de racismo foi interditado – em parte pelo sucesso da celebração do "brasileiro mestiço" por Gilberto Freyre na cultura e por Getúlio Vargas na política –, a questão racial foi substituída pelo falso moralismo do suposto combate à corrupção no Brasil. O que fez brasileiros privilegiados da classe média branca saírem às ruas aos milhões contra Lula e Dilma, sabemos hoje, não teve jamais qualquer coisa a ver com "corrupção". Se assim fosse, muito mais gente branca e bem-vestida teria saído às ruas para protestar contra Aécio e Temer, apontados em evidências explícitas de corrupção e alusão a assassinatos. Como não se pode falar de racismo, seu perfeito substituto é o falso moralismo canalha do combate seletivo à suposta corrupção, voltado apenas contra quem ousa incluir negros e pobres na sociedade brasileira. É, portanto, o ódio à classe dos excluídos e marginalizados, quase todos negros e mestiços, a pedra de toque que explica a vida política arcaica e odiosa do Brasil.

Isso torna ainda mais próxima nossa relação orgânica com os Estados Unidos – um país cuja vida social e política é igualmente determinada pelo racismo "racial", como veremos a seguir. Como as relações de dominação entre as classes sociais são baseadas na reprodução de privilégios de nascimento e permanecem literalmente invisíveis para a grande maioria das pessoas, é, em grande medida, a linguagem do racismo "racial" que possibilita sua compreensão e lhe confere concretude. A principal diferença é que nos Estados Unidos o racismo usa seu próprio nome, enquanto no Brasil ele se manifesta, quase sempre, por "interposta pessoa", no falso moralismo do combate seletivo à corrupção que cimenta a solidariedade que existe entre as classes do privilégio no país.

No bolsonarismo, são as ideias e as práticas da extrema direita americana abertamente racista que se tornam operantes no Brasil. Nesse contexto, o racismo brasileiro passa por uma transformação. Em vez de consolidar a união das classes altas contra os pobres, como no passado, ele serve agora de combustível para a "guerra entre os pobres" que o bolsonarismo institui. Como representante político máximo das milícias organizadas, um tipo de organização criminosa que vive da exploração do medo dos mais pobres, essa guerra é, para Bolsonaro, politicamente funcional. Mas foi a extrema direita americana que lhe forneceu as ideias, as práticas, as estratégias – e, com toda a probabilidade, também o dinheiro – para o assalto ao poder de Estado no Brasil.

Este livro analisa desde as precondições históricas e simbólicas mais amplas e gerais até o momento presente, quando se insinua o instante mais perigoso da história brasileira. Hoje o poderio americano se une ao crime organizado para destruir a sociedade e o Estado brasileiros de modo consciente e voluntário, como parte de um projeto de poder mundial planejado nos ínfimos detalhes. Boa parte do que será dito aqui, sobretudo na parte final, que trata da influência da extrema direita americana na vitória eleitoral de Bolsonaro, poderá parecer a alguns "teoria da conspiração". A mesma crítica me foi dirigida quando da publicação de *A elite do atraso*. A Vaza Jato de Glenn Greenwald, no entanto, comprovou a trama que havíamos reconstruído no livro.

Sem dúvida existem conspirações falsas, que podem ser criticadas com bons argumentos. Mas é óbvio que os interesses econômicos e políticos fundamentais se unem, ou seja, "conspiram" para se reproduzir ao longo do tempo. O que não existe é o acaso, que nega o fundamento mais primordial do entendimento humano, que é a relação de causalidade, ou seja, a realidade insofismável de que os fatos dispersos que observamos são encadeados a outros que permitem explicá-los e compreendê-los. Abdicar de perceber esse encadeamento factual é abdicar de compreender o mundo e, portanto, aceitar ser feito de tolo pelos que mandam nele.

Esta é uma leitura para quem acredita que os fatos do mundo não são obra do acaso, como quer nos fazer crer uma imprensa que isola os fatos e fragmenta a realidade para torná-la incompreensível. Afinal, quem tem interesse em que o mundo seja percebido como um acaso, como algo fortuito e sem direção, é precisamente quem o controla com mão de ferro. Este mundo tem donos que efetivamente conspiram, todos os dias, para reproduzir seus poderes e privilégios e explorar os que são feitos de tolos. Geralmente, os "tolos" são os que acreditam no acaso e na coincidência. O que comprova a causalidade entre os fatos sociais são as consequências práticas observáveis das ações de indivíduos e coletividades. Esse é o nosso material de estudo neste livro.

A CONSTRUÇÃO DA IDEOLOGIA DO IMPERIALISMO INFORMAL AMERICANO

O racismo científico que finge não ser racista

O racismo é uma "segunda pele" para todos nós seres humanos. Todos estamos envoltos no racismo, seja como algozes, como vítimas ou, ainda mais frequentemente, como vítimas e algozes ao mesmo tempo. Ninguém possui completo distanciamento em relação a esse preconceito. Ele nos possui a todos. Obviamente isso é verdadeiro para o racismo racial, que, no entanto, é apenas sua forma mais visível. Antes de tudo, é importante compreender que o racismo racial, por mais significativo que seja em países de tradição escravocrata como o Brasil e os Estados Unidos, é "apenas" uma das formas de expressão de um racismo ainda mais profundo e ainda mais negado e reprimido. A forma mais visível, evidentemente, mas apenas uma das formas possíveis. É fundamental, inclusive, que se compreenda esse racismo primordial para que se entenda como o racismo racial representa sua forma mais cruel e mais abjeta.

Reduzir todas as manifestações do racismo ao racismo racial é se tornar cego em relação às muitas formas de subordinação e de opressão que não possuem sua fonte primeira e principal no fenótipo racial. Por outro lado, o que complica tudo é o fato de que, como a hierarquia moral abstrata que divide os seres humanos em superiores e inferiores só adquire concretude nos corpos, que passam a "sinalizar" um valor diferencial em si mesmos, tendemos a ligar imediatamente o racismo a determinadas características físicas.

É isso que nos faz pensar que o racismo "racial" é a realidade única de todo racismo. Em países como o Brasil e os Estados Unidos, marcados pela experiência da escravidão, a confusão é inevitável. Nessas sociedades, toda superioridade é branca e toda inferioridade é negra. Por isso mesmo é fundamental refletirmos sobre a origem de todo o racismo, lá onde ele ainda não tem um corpo e não é negro nem branco.

O que estou chamando de racismo primordial significa a expressão de uma diferença ontológica entre os seres humanos, da qual a manifestação racial será uma das variantes possíveis. Isso não significa que o racismo racial seja menos importante. No decorrer deste livro se verá precisamente o contrário. Significa, sim, que não podemos compreender adequadamente o racismo racial nem qualquer outra forma de dominação social e política sem entendermos a linha genética que os liga ao que estamos denominando aqui de racismo primordial. Reconheço que é uma tese ousada e que precisa ser comprovada adequadamente. É o que me disponho a fazer a seguir.

Este livro pretende demonstrar que o racismo primordial é a base da vida social e política. Em um sentido genérico, essa tese é irrefutável. Dado que toda forma de exploração econômica e de desigualdade social precisa ser justificada e legitimada por ideias, é necessário que exista alguma ideia abstrata e de validade geral acerca da desigualdade natural entre os seres humanos. Se todas as sociedades humanas até hoje foram e são desiguais, essa continuidade eterna tem que ter sido legitimada e aceita pelos próprios oprimidos de alguma maneira.

A dificuldade é saber o que exatamente serve de matéria primordial e fundamental para a justificação de toda desigualdade e de toda injustiça social. Isso se torna ainda mais difícil no mundo atual, onde se imagina que o que une as pessoas no planeta são apenas a troca de mercadorias e o fluxo de capitais. É assim que o neoliberalismo hegemônico percebe o mundo. Mas também é assim que muitas teorias supostamente críticas o percebem, inclusive diversas variações do marxismo "economicista".

Para todos eles, o capitalismo ou a sociedade moderna, como se queira definir, pressupõe uma divisão fundamental entre uma dimensão material – das mercadorias e dos fluxos de capital, compartilhada por todos e universal – e uma dimensão simbólica, moral e cognitiva – que não seria universalizável. Assim, o Ocidente, não apenas para os neoliberais conservadores, mas também para alguns dos pensadores mais críticos e inteligentes do mundo, seria apenas uma versão menor da OTAN, abrangendo Estados Unidos, Canadá e a Europa Ocidental. Ao contrário de sua base material e econômica, a dimensão simbólica do capitalismo, ou seja, sua base moral, social e política, não seria, portanto, generalizável nem universal.

Essa questão sequer é enfrentada diretamente por qualquer um desses autores críticos importantes. Jürgen Habermas, por exemplo, não explica por que sua teoria da ação comunicativa não é aplicável fora do "Ocidente" – percebido geopoliticamente de maneira tão amesquinhada quanto a OTAN.[2] Mesmo Pierre Bourdieu, a quem tanto devo na elaboração de minhas próprias ideias, não reconstrói a hierarquia moral global que preside sua investigação, por exemplo, em *A miséria do mundo*.[3]

Tudo funciona como se essa questão essencial da vida social e política do planeta, talvez a mais importante de todas, já tivesse sido respondida de modo cabal e insofismável por alguém ou alguma corrente teórica. Assim, todos aceitam essa "resposta" como um fundamento sólido e incontestável.

Como tudo que julgamos sólido no mundo de hoje, essa teoria, para funcionar, tem que ser percebida e aceita universalmente como "conhecimento científico" válido. Afinal, a ciência herdou da religião o prestígio de dizer o que é verdadeiro ou falso. E quem decide o que é verdadeiro ou falso costuma decidir também algo muito mais importante: o que é justo e o que é injusto. Quem controla essas definições é precisamente quem está habilitado a justificar e legitimar com sucesso todo tipo de dominação social e política – além da exploração econômica que ela implica. O problema é que ainda temos em nós, em boa medida, o preconceito iluminista de pensar a ciência como apartada de outras formas simbólicas de dotação de sentido ao mundo e de legitimação da desigualdade e da injustiça social. Tendemos sempre a considerar a ciência "neutra", como uma instância divina acima das divisões do mundo. Na verdade, existe uma continuidade entre religião e ciência, muito especialmente no "Ocidente", cuja ampliação conceitual além da OTAN iremos defender neste livro.

Para isso é necessário demonstrar que o racismo primordial se produz primeiro em termos religiosos e depois em termos científicos, sem qualquer solução de continuidade. Estou aqui propondo uma definição ampliada de racismo que possa abranger toda forma de hierarquia construída entre "humanos superiores" e "humanos inferiores". Como o racismo racial é "apenas" uma das formas possíveis por meio das quais isso se constrói, é necessário que nos dediquemos a buscar as formas mais elementares, abstratas e universais que regem a gramática de toda desigualdade hierárquica.

A religião é a primeira forma de produção dessa gramática da desigualdade, desse racismo primordial que permite sacralizar, justificar e tornar natural a desigualdade e formas recorrentes de opressão e de humilhação. Toda a análise das grandes religiões mundiais feita por Max Weber, um dos pais da sociologia, pode ser compreendida como um esforço gigantesco para entender como formas particulares de dominação econômica e social eram justificadas pelo discurso religioso dominante como naturais, necessárias e desejáveis.

No caso do hinduísmo na Índia, por exemplo, Weber destaca o papel racionalizador das desigualdades sociais desempenhado pela noção de carma hindu. Como o carma é "justo" e aparentemente meritocrático, permitindo que todos, pelo menos nas vidas subsequentes, possam alcançar o nirvana, a sociedade hindu está entre aquelas sociedades humanas que menos mudanças e transformações sociais sofreram ao longo de milênios de história. Além da racionalização teórica da desigualdade social próxima à perfeição do hinduísmo, temos também a função social da casta mais baixa dos "intocáveis", frequentemente ocupada por estrangeiros ou povos historicamente perseguidos, garantindo uma distinção social positiva a todas as outras castas intermediárias e angariando seu apoio à ordem geral.[4]

Todas as outras grandes religiões mundiais desenvolveram esquemas de justificação da ordem econômica e social que visavam o mesmo fim, ainda que todas fossem formas de legitimação peculiares de acordo com cada mensagem religiosa. No Ocidente, a ideia de superioridade está ligada ao espírito, enquanto a ideia de inferioridade está ligada ao corpo. Essa forma de perceber a virtude não é necessária nem universal. No Oriente – na Índia, por exemplo –, a virtude foi construída pela oposição entre "puro" e "impuro", separando as castas puras das impuras, não pela oposição entre espírito e corpo. Como nasce, então, a separação corpo/espírito? Em sua origem, essas oposições são religiosas, ou seja, elas visam separar o sagrado do profano.

É importante saber também que, em toda forma de religião, dois aspectos são os decisivos: a maneira como se percebe o bem supremo da salvação e a maneira como se percebe o caminho da salvação. No cristianismo, o bem supremo é a vida eterna no além--mundo e o caminho da salvação é a vida virtuosa neste mundo de acordo com a definição cristã. Desse modo, para compreendermos como milhares de anos de pregação religiosa influenciam a vida social até hoje, temos que nos concentrar no caminho da salvação, que é, afinal, o melhor jeito de entender a influência da mensagem religiosa no comportamento prático dos indivíduos. É ele que vai estimular os fiéis a seguir certa conduta na vida cotidiana para alcançar a salvação.

Assim, é justamente porque o caminho da salvação de todo cristão é definido por Santo Agostinho em termos platônicos, ou seja, como uma batalha cotidiana do "espírito" para controlar as paixões insaciáveis do "corpo" – como o sexo e a agressividade –, que toda a gramática moral do Ocidente irá se basear na oposição entre espírito e corpo. No cristianismo, a partir de então, a "virtude" que permitiria a salvação seria definida como o controle dos afetos e das paixões do corpo pelo espírito.[5]

Temos que imaginar a força dessa ideia ao ser levada aos últimos rincões – primeiro da Europa e depois de todo o mundo – por milhares de padres e missionários que se viam como portadores de uma novidade radical e eram movidos pela noção de missão sagrada. O trabalho cotidiano e milenar da instituição mais importante do Ocidente, a Igreja Católica, passou a ser o exemplo e o modelo de todas as instituições – inclusive do Estado moderno. Isso explica a força da perspectiva cristã hoje em dia. O resultado de 2 mil anos de pregação e trabalho cotidiano é o que explica a incorporação, ou seja, o "tornar-se corpo", o reflexo automático e não mais refletido, de uma certa forma de avaliar moralmente o mundo em todas as dimensões da vida.

É bem desse modo, afinal, que ideias passam a determinar o comportamento prático e a vida cotidiana de tantas pessoas comuns. Elas precisam estar institucionalizadas, ou seja, ser reproduzidas e estimuladas cotidianamente e sem descanso em uma dada direção até se tornarem algo "natural", como se tivéssemos já nascido com elas, assim como nascemos com uma boca e dois olhos. Por conta disso, somos dominados até hoje por essa hierarquia moral historicamente contingente, que poderia muito bem ter tido outro sentido e direção, e a percebemos como se nos acompanhasse desde o berço. É assim que acontece com todas as coisas cuja gênese "esquecemos". Normalmente são as coisas mais importantes do mundo. Fazem tão parte de nós, estão tão coladas à nossa pele, que não mais as percebemos.

Assim, no decorrer de séculos de pregação religiosa incansável em todo o mundo cristão, a pessoa virtuosa e destinada à salvação eterna (e precisamos também nos imaginar na pele de seres humanos que tinham isso como sua crença mais forte e principal) era aquela que conseguia reprimir seus impulsos sexuais e agressivos – as duas maiores e mais fortes "paixões" humanas – em nome do espírito. Nesse sentido, o espírito, livre de suas paixões corporais, era percebido como o caminho para Deus, simbolizando tudo que era superior, sagrado e nobre.

Mais tarde, o protestantismo vai radicalizar e, ao mesmo tempo, democratizar a mensagem cristã católica e romana. A oposição entre espírito e corpo continua sendo o divisor de águas principal que separa a virtude do pecado, o nobre do vulgar. No entanto, a virtude religiosa não será mais privilégio dos clérigos e monges, por oposição à massa de fiéis. Martinho Lutero destrói a ideia de que o sagrado e o divino são mediados aos fiéis por uma casta de religiosos profissionais. A partir de então o trabalho prático e cotidiano de cada um passa a ser visto como sagrado, posto que definido como "chamado divino". Cumprir os desígnios de Deus, ou seja, o novo caminho da salvação, como determinado pelo protestantismo, passa a ser percebido como cada qual realizando seu trabalho na Terra com consciência e do melhor modo possível.

É por isso, inclusive – ou seja, pelo esforço de convencimento da pregação protestante –, que consideramos hoje em dia o mundo do trabalho como uma das dimensões mais importantes da vida. Antes, o trabalho era desvalorizado, coisa de "gentinha", servos e escravos. Bonito e honroso era não precisar trabalhar. Essa ideia é democratizante por duas razões: 1) em primeiro lugar, porque pela primeira vez se sacraliza o trabalho, antes considerado coisa de gente inferior. Até então, a virtude era não trabalhar e viver do trabalho alheio; 2) em segundo lugar, porque agora todos podem ser "santos", desde que trabalhem. E, como quem trabalha são as pessoas comuns, essa ideia desvaloriza toda a nobreza secular e religiosa que não trabalhava produtivamente.

Mas a sacralização do trabalho contida na mensagem protestante implica também uma radicalização da mensagem original do cristianismo. É que todo trabalho diligente e bem-feito pressupõe estrito controle e repressão das pulsões corporais, algo que estava na origem da noção de virtude do cristianismo. A disciplina do trabalho exige autocontrole, ou seja, a subordinação de todas as inclinações e paixões "naturais" do corpo e de suas necessidades, como sexo, água, comida e descanso, em nome da produtividade e da excelência do desempenho. Na vida cotidiana, nunca refletimos sobre os pressupostos emocionais e morais do trabalho produtivo, assim como nunca refletimos sobre as coisas mais importantes da vida, precisamente porque estas se tornaram hábitos inconscientes.

No Ocidente, portanto, primeiro sob influência católica e depois protestante, as duas trabalhando no mesmo sentido e na mesma direção, é preciso ter claro que toda avaliação moral, seja em relação ao indivíduo, seja em relação à sociedade, se fundamenta na oposição corpo/espírito. Tudo que é vulgar e digno de desprezo é associado ao corpo e às suas paixões e inclinações "naturais". Tudo que é sagrado, honroso e nobre é ligado ao espírito, que deve conduzir o corpo pela disciplina. Essa é a chave de toda a gramática moral do Ocidente e, consequentemente, de todo racismo primordial também, daquele que existe antes de qualquer brancura e qualquer negritude.

É que existe sempre, em todos os casos, uma dialética da moralidade. A gramática moral e suas oposições entre virtude e pecado criam inevitavelmente um pecador, um criminoso, alguém que passa a encarnar e incorporar o "outro" da virtude, seu lado B. É aí que se constrói o racismo primordial, no caso do Ocidente ligado indelevelmente à oposição corpo/espírito. Todos os indivíduos, comunidades ou segmentos sociais associados às virtudes negativas do corpo, como sexualidade, afeto, sentimento ou agressividade, serão vítimas de um racismo ubíquo, ainda que constantemente invisibilizado como tal. Como sua gênese foi esquecida, ele nos parece natural e óbvio, como o ato de respirar para viver.

É nesse contexto que as mulheres, percebidas como corpo, afeto e sexo, serão temidas e inferiorizadas em relação aos homens, percebidos como espírito distanciado e inteligência. As classes sociais do espírito são ao mesmo tempo as classes do privilégio, do conhecimento valorizado, e estão destinadas a comandar a vida social. As classes trabalhadoras são, ao contrário, percebidas como corpo e trabalho manual menos qualificado. Do mesmo modo, também o branco será associado às virtudes não ambíguas do espírito, como inteligência, moralidade e senso estético, enquanto o negro será associado ao corpo, à força muscular e ao sexo, da mesma forma que as mulheres e os trabalhadores.

Tanto histórica quanto logicamente, o racismo primordial vem antes e é mais importante, pois condiciona todas as suas formas fenomênicas e concretas que acabamos de mencionar. Mais uma vez: é claro que em países escravocratas como o Brasil, o racismo racial será, na prática, mais importante que qualquer outra variável explicativa. Mas a análise e a reflexão precisam reconstruir a gênese lógica e histórica pertinente, senão não serão capazes de alcançar a realidade mais profunda e irão apenas reproduzir obviedades e preconceitos. Como para explicar o Brasil é necessário primeiro compreender o Ocidente como um todo e suas hierarquias morais, então é preciso reconstruir também o racismo primordial tanto em sua feição religiosa quanto em sua feição científica, que é a que mais nos interessa. Só assim podemos compreender por que, em países como o Brasil e os Estados Unidos, o racismo racial é tão importante.

No Ocidente, a partir da Revolução Francesa, a justificação científica e filosófica da vida social tende a assumir, cada vez mais, o lugar decisivo que a religião antes ocupava. Obviamente, a religião não desaparece e continua sendo importante em muitos casos concretos. Mas a tendência geral do "desencantamento do mundo" favorece a dotação de sentido científica, que, de fato, substitui crescentemente a visão de mundo religiosa. Isso significa que temos que procurar na ciência dominante – que efetivamente herda o prestígio das grandes religiões e a função de decidir o que é falso e o que é verdadeiro – a justificação para a desigualdade e a injustiça sociais. Isso porque quem distingue o verdadeiro do falso decide também a questão, muito mais importante, de separar o justo do injusto.

Para quem imagina, como muitos intelectuais, inclusive, que o prestígio científico fica restrito às universidades e aos livros e que a vida social real é justificada por outros meios, é possível demonstrar o contrário. A hierarquia das produções científicas dentro do campo acadêmico mais restrito não corresponde à hierarquia da eficácia social das mensagens científicas na esfera pública maior. Nessa "esfera pública política", a luta pela eficácia da mensagem científica é decidida pelo acesso a mecanismos de consagração que pressupõem investimento tanto em dinheiro quanto em relações pessoais poderosas na imprensa e no âmbito cultural mais amplo.

Para tornar esse fato mais compreensível, vamos demonstrar a importância da conexão de uma cadeia funcional na dimensão simbólica das ideias e de sua eficácia na vida social concreta. Essa cadeia funcional articula três níveis, que estão interligados, mas são, também, relativamente autônomos: a) o nível da produção de ideias abstratas; b) o nível dos operadores dessas ideias abstratas nas constelações de poder fático; e, finalmente, c) os divulgadores e popularizadores das ideias dominantes. Cada um desses níveis trabalha em um campo específico da vida social: 1) os produtores de ideias abstratas estão envolvidos nas lutas do campo intelectual, científico e universitário; 2) os operadores trabalham nos subsistemas funcionais da política, do direito e da economia; e 3) os divulgadores e popularizadores estão imbricados na dimensão da imprensa e da esfera pública maior.

É claro que indivíduos concretos podem desempenhar papéis múltiplos dentro de cada esfera. Por exemplo, podemos ter divulgadores e popularizadores trabalhando na esfera acadêmica, que, aliás, define efetivamente o tipo de trabalho exercido pelo maior número de pessoas no campo acadêmico. Podemos ter também divulgadores que desempenham funções de operadores na imprensa, manipulando e orientando a esfera pública em dada direção. Mas é importante ter em mente esses campos de atuação distintos, já que de outro modo não é possível perceber como ideias abstratas, fruto do trabalho de pesquisadores isolados, podem ter tanta importância na vida social. Além disso, essa divisão do trabalho intelectual indica, já de saída, que, muito mais que seu conteúdo e valor intrínseco, o que importa nas ideias é sua eficácia social como arma nas lutas por justificação e legitimação.

Isso ajuda a explicar e a entender por que, nas ciências sociais modernas, temos um Jürgen Habermas ou um Pierre Bourdieu como grandes pensadores originais, cujos méritos científicos são amplamente reconhecidos na esfera científica mais restrita, enquanto outros autores de capacidade intelectual muito menor têm uma influência social e política muito maior. Isso significa que, independentemente do valor intrínseco das teorias científicas, algumas ideias logram maior sucesso relativo pela ação de operadores e divulgadores de outras esferas sociais do mundo simbólico, que espelham, por sua vez, a força prática dos poderes extracientíficos determinantes.

Esse é o caso do criador e expoente mais famoso da teoria da modernização, o sociólogo americano mais célebre e conhecido no mundo: Talcott Parsons. Ainda que Parsons também tenha grande prestígio acadêmico, sua influência social e política, como veremos, é desproporcionalmente maior do que a de qualquer outro autor contemporâneo, dada a importância de sua teoria como legitimação política da ideia de uma "excepcionalidade cultural e social americana". É que a eficácia da mensagem científica será tanto maior quanto mais ligada aos interesses políticos e econômicos dominantes ela estiver.

Essa imbricação dos interesses extracientíficos, políticos e econômicos com o interesse científico propriamente dito atinge seu clímax na formação da "identidade nacional" de cada Estado-nação. Os Estados-nações modernos já nascem sob o primado da ciência[6] e têm que se legitimar, portanto, "cientificamente". Alguns, como os Estados Unidos, irão considerar a si mesmos o "sal da terra", o "povo eleito", diferente e melhor que todos os outros. Essa noção também irá se basear já na noção de virtude que estamos expondo aqui. Os americanos se veem como o país do protestante ascético, disciplinado e produtivo destinado a dominar o mundo exterior. Obviamente, essa leitura do mundo é a legitimação perfeita e típica de uma elite expansiva, primeiro domesticamente e depois internacionalmente. Por meio das ideias de gente como Parsons e de seus milhares de seguidores, os Estados Unidos legitimam a expansão mundial de seu império "informal".[7]

Em países como o Brasil, como expressão de uma elite colonizada cuja riqueza sempre foi e ainda é construída pelo trabalho de intermediação econômica e política de processos de exploração da própria sociedade comandados a partir de fora, a identidade nacional vai, ao contrário, ser "vira-lata". Como a identidade nacional brasileira vai ser construída como um espelho da americana, ela será a imagem negativa de tudo de positivo que a outra supostamente possui. Se o americano é percebido como excepcional e melhor do que os outros, o brasileiro é percebido como o pior, mais burro, mais preguiçoso e, joia da coroa, mais corrupto de todos. Isso reflete, como veremos, o interesse de uma elite que funciona como mediadora do saque de sua população através da dominação internacional e, para isso, precisa minar a autoestima do próprio povo para melhor manipulá-lo, criminalizá-lo e sabotá-lo.

Isso significa que o prestígio científico "prático", ou seja, a visão de mundo supostamente científica que irá guiar a ação das várias elites sociais formadas nas universidades e da sociedade mais geral informada pelos veículos de comunicação, é quase sempre aquele consagrado por demandas econômicas e políticas ligadas aos círculos mais poderosos socialmente. Mas, ainda assim, a credibilidade da mensagem não deixa de se referir ao "carisma" do prestígio científico. Se existe alguma coisa próxima ao carisma mágico da religião no mundo moderno, é a ciência. Teremos aqui a oportunidade de examinar vários exemplos do que estou dizendo.

É interessante perceber também que, nesse campo, não existe uma diferença essencial entre a produção do Sul global e do Norte global, como se imagina. O "culturalismo" imanente a essas produções científicas é compartilhado pelas teorias dominantes tanto no lado de baixo quanto no lado de cima do Equador. Na verdade, seu objetivo é se tornar o equivalente funcional do racismo explícito do colonialismo europeu do século XIX, fazendo de conta, no entanto, que opera uma "revolução de paradigma" radical como se fosse a superação de todo tipo de racismo. Na verdade, o branco, como "etnia superior" do racismo explícito, é meramente substituído pelo protestante, especialmente na sua versão ascética, enquanto o negro, como indicador de "inferioridade", é substituído pelo homem cordial, emotivo e corrupto nas suas várias versões regionais, permitindo abranger e inferiorizar latino-americanos, africanos e asiáticos independentemente de suas características fenotípicas e corporais.

Quando o culturalismo se desenvolve a partir da década de 20 do século passado nas universidades americanas, primeiro na antropologia e depois nas outras ciências sociais, ele pretende ser uma "superação de todo racismo". Na verdade, longe de ser uma transformação do paradigma abertamente racial, imperante e com respeitabilidade científica até então, o culturalismo reproduz o racismo de modo mais sutil e ainda mais perigoso, posto que dá a impressão de tê-lo criticado e superado. O que acontece é a mera substituição da noção de "estoque racial" pela noção de "estoque cultural", em que a cor e o fenótipo cedem lugar à "tradição cultural", imaginada como sendo transmitida pelo sangue ao longo das gerações.

Para todos os efeitos práticos, o culturalismo da teoria da modernização de inspiração parsoniana é uma das mais eficazes teorias sociais já construídas em termos sociais e políticos. Coube a ela substituir a oposição branco/negro, que era determinante para a legitimação do colonialismo europeu do século XIX, pela oposição honesto/corrupto. O honesto é antes de tudo o americano, como um subproduto de seu passado cultural, um protestante ascético. Enquanto corruptos são os "novos negros", especialmente os países destinados a permanecerem colônias eternas, como os latino-americanos, africanos e boa parte dos asiáticos. Na dimensão tripartite do espírito, como conhecemos na arquitetônica kantiana, cabe agora aos protestantes, como antes aos brancos, os mesmos valores que consagram sua superioridade em todas as dimensões do espírito: cognitiva, estética e – a mais importante de todas – moral. Daí a importância da oposição honesto/corrupto como forma de desvalorizar indivíduos e povos oprimidos na dimensão moral fundamental que define como nenhuma outra o valor e o desvalor de cada um.

É aqui que se constroem as categorias racistas primordiais que irão dominar as reflexões explícitas e conscientes em todas as universidades do mundo – inclusive e muito especialmente nas dos "países-colônias" do Sul global. Depois da Segunda Guerra Mundial, o Departamento de Estado e fundações privadas americanas financiaram sistematicamente a difusão das ideias da teoria da modernização ao redor do mundo.[8] Foi a partir delas que as diferentes elites de diferentes países puderam ter acesso a tamanha homogeneidade de pensamento e ação. Depois disso, como veremos, alguns dos homens mais ricos dos Estados Unidos passaram a construir universidades e *think tanks* e a dominar a esfera pública e política para que algumas ideias tivessem proeminência sobre outras. Sem essas "ideias interesseiras", não existe exploração de classes nem de países inteiros por outros.

Mas não apenas isso. Essas ideias também passam a explicar às suas próprias elites o mundo e suas diferenças de desenvolvimento relativo em todas as áreas. Os filmes icônicos, os livros mais vendidos, as séries vistas por todos, os heróis da infância e da juventude são aqueles que defendem esses mesmos valores e tradições, ganhando também o inconsciente coletivo global na indústria do entretenimento, na moda e na cultura de massas. A partir de então, essas ideias deixam de ser apenas ideias e passam a ser também emoções automáticas e pré-reflexivas, frente às quais nenhuma defesa racional é mais possível.

Tomemos, a título de exemplo, para demonstrar a importância e a ubiquidade dessas ideias, duas obras representativas que reproduzem com fidelidade o que acabamos de dizer: a de Talcott Parsons – o mais importante sociólogo do século XX nos Estados Unidos – e a de Sérgio Buarque de Holanda – o fundador da moderna sociologia brasileira. O sociólogo alemão Max Weber foi utilizado por Talcott Parsons, a partir dos anos 1930, para criar uma imagem idealizada da sociedade americana, especialmente, ainda que não apenas, na construção de suas *pattern variables* (variáveis padrão) – opções binárias de comportamentos "modernos" e "tradicionais" –, que se tornaram o eixo teórico central de toda a teoria da modernização, hegemônica até hoje, ainda que com outras roupagens.

O mesmo Weber, interpretado erroneamente como "culturalista", no sentido que sugerimos anteriormente, de "equivalente funcional do racismo", foi utilizado inclusive por teóricos latino-americanos, também a partir dos anos 1930, para a construção de uma interpretação "orientalizada" da América Latina.[9] No Brasil, por exemplo, foi desenvolvida uma visão "vira-lata" do país e do brasileiro, como se este fosse o oposto especular do americano idealizado. O brasileiro passa então ser percebido como pré-moderno, passional, afetivo e corrupto.

Essa pré-modernidade é o núcleo, nunca na verdade explicitado, de noções hoje correntes como o "jeitinho brasileiro" e a visão do Brasil e das sociedades latino-americanas como hierarquias comandadas pelo capital social de relações pessoais. Seria esse capital de relações com pessoas influentes que constituiria tanto o personalismo, ou seja, a base de relações de favor/proteção como fundamento da hierarquia social, quanto o patrimonialismo, ou seja, uma vida institucional que tem como alicerce uma "elite estatal", também pré-moderna, que parasitaria toda a sociedade. Como mostrei no livro *A elite do atraso*, essa visão do Brasil é absolutamente hegemônica tanto na direita quanto, com consequências fatais, também na "esquerda".[10]

É que as categorias racistas primordiais do culturalismo até hoje hegemônico no mundo todo servem não apenas para legitimar o direito ao saque das riquezas do Sul global e perpetuar uma divisão internacional do trabalho injusta. Elas servem também para criminalizar a própria população oprimida e as classes populares nos países tanto do centro quanto da periferia. Nos países do centro, como veremos no próximo capítulo, irá se desenvolver uma concepção da democracia segundo a qual o povo é visto como ignorante e infantil, tendo que se manter submisso a uma elite, que deve guiá-lo. O "infantilismo" do povo e dos trabalhadores é, portanto, cognitivo. Nos países da periferia, como o Brasil, irá se desenvolver, antes de tudo, uma teoria a partir da qual o povo é visto como moralmente inferior, ou seja, como corrupto ou tolerante com a corrupção.

Assim, no culturalismo "vira-lata" brasileiro, é o Estado dominado supostamente pelo homem cordial e particularista que se tornará o conceito mais importante da vida intelectual e política até hoje: o patrimonialismo do Estado e da elite política corrupta. Ora, por que só no Estado teríamos corrupção, se para essa teoria "vira-lata" todo o povo é corrupto e inferior? Só pode ser porque o Estado é a única instituição moderna que pode ser influenciada, por meio do voto, pelos pobres e negros excluídos e abandonados. Criminalizar apenas o Estado equivale então a criminalizar a própria soberania popular, única instância autorizada de participação dos pobres. Assim, todas as vezes que os pobres e negros conseguem pôr um representante no poder, os proprietários e sua imprensa podem tocar o bumbo da corrupção seletiva para deslegitimar qualquer política popular.

E o mercado, o terreno dos reais donos do poder, como fica nessa teoria "vira-lata"? Para os inúmeros seguidores de Sérgio Buarque, que são parte expressiva da intelectualidade brasileira até hoje, a oposição mercado × Estado se torna ainda mais simplista.[11] O mercado capitalista deixa de ser uma instituição ambivalente – fruto de longo aprendizado histórico, que permite tanto produzir riquezas em quantidades inauditas quanto produzir e legitimar desigualdades injustas de todo tipo indefinidamente – para ser apenas o reino da virtude por excelência.

O Estado, também ambivalente, podendo refletir interesses de todo tipo, sendo ele próprio um campo de lutas intestinas, está congelado ao lado de uma suposta elite privilegiada, a qual, como ninguém a define, se refere a todos e a ninguém e pode ser usada em qualquer contexto ao bel-prazer do falante – quase sempre numa fala privatizada da imprensa dominante. Faoro, o outro grande nome ao lado de Buarque no culturalismo "vira-lata" brasileiro, vai encontrar as origens da criminalização do Estado e da política brasileira no Portugal medieval, onde seria ridículo falar de corrupção no sentido moderno do termo, que pressupõe a noção de soberania popular, a qual levaria ainda quatro séculos para se tornar uma ideia compreensível pelo público. Afinal, a corrupção por parte de indivíduos privados exige a ideia de bem público, algo que apenas a Revolução Francesa e a ideia de soberania popular tornam possível. Só pode existir bem público quando o povo é percebido como fonte de todo poder e, portanto, verdadeiro "dono" de toda propriedade pública.

Mas a intelectualidade colonizada brasileira não teme sequer o ridículo quando se trata de idealizar o americano. A necessidade de criminalizar a herança portuguesa tem a ver com a necessidade de idealizar a história inglesa e a americana como excepcionais e únicas, o que é simplesmente mentiroso em termos históricos. O Estado português medieval não tinha nenhuma diferença, na sua prática de distribuir favores e monopólios, em relação à corte de Henrique VIII na Inglaterra, por exemplo. A função desse profundo falseamento da história é ancorar a suposta desonestidade cultural brasileira em uma tradição milenar.

Hoje em dia, essa tese da singularidade cultural brasileira, *pensada de modo absoluto* como um povo com características únicas e incomparáveis – todas negativas e tendo como centro a desonestidade –, é como uma segunda pele para todos os brasileiros, intelectuais ou não. Ela é a pedra de toque da política brasileira há quase cem anos. Essa singularidade é constituída pela junção e combinação das noções de personalismo e patrimonialismo. Mas o toque de Midas dessa ideologia, que vai explicar a adesão popular a ela, é a associação, por baixo do pano e sem alarde, entre o mercado e a sociedade como um todo, nos "convidando" a nos sentirmos tão virtuosos, puros e imaculados quanto ele.

A partir daí, como a recompensa narcísica é o aspecto decisivo, a associação é tornada afetiva e, em grande medida, infensa à crítica racional. É precisamente esse aspecto que permite a adesão popular de setores que não têm nada a ganhar com a "mercantilização" da sociedade como um todo. Desse modo, os partidos doutrinariamente liberais no Brasil – ainda que todos os partidos, sem exceção, estejam submetidos à sua hegemonia –, que representam interesses de uma elite muito pequena, podem universalizar seus interesses particulares ao demonizar a intervenção estatal como sempre ineficiente e corrupta.

Na realidade, Buarque assume todos os pressupostos metateóricos e teóricos da tese de que o Brasil é uma sociedade pré-moderna, dominada pela emotividade e pela pessoalidade, como formulada por Freyre – que também havia imaginado a continuação com Portugal. O que Buarque acrescenta de (aparentemente) novo é tirar a ênfase do personalismo – a emotividade como um dado psicossocial que guia as relações interpessoais de favor/proteção, típica da interpretação freyriana – e deslocá-la para o aspecto institucional e estatal, que seria supostamente patrimonial.

O patrimonialismo é uma espécie de amálgama institucional do personalismo, de resto compartilhando literalmente todos os seus duvidosos pressupostos para fins pragmáticos na construção do "mito" freyriano. É isso que confere o aparente "charminho crítico" a sua tese. Afinal, o "homem cordial" é emotivo e particularista e tende a dividir o mundo entre amigos, que merecem todos os privilégios, e inimigos, que merecem a letra dura da lei. Quem exerce, portanto, a crítica patrimonialista no Brasil o faz com ar de denúncia, fazendo pose de intelectual crítico.[12] O interessante no argumento de Buarque é que, apesar de o homem cordial estar presente em todas as dimensões da vida, toda a atenção se concentra apenas em sua ação no Estado,[13] o que já mostra sua falsidade científica e denuncia seu objetivo político de criminalizar unilateralmente a política e a soberania popular.

De Getúlio Vargas a Lula, essa leitura da sociedade brasileira serviu, na prática, para criminalizar o Estado e a política em geral – e, por meio disso, a soberania popular. Golpes de Estado militares ou judiciários foram orquestrados e receberam adesão popular de pessoas que nada tinham a ganhar efetivamente com o desmonte estatal. É assim que as ideias científicas dominam a esfera pública e justificam o injustificável. Veremos como as mesmas ideias também criminalizam o povo nos Estados Unidos, mostrando que, antes de uma divisão entre culturas e sociedades – embora ela também exista e justifique o "saque" de riquezas –, temos a divisão entre elite e povo como a real oposição fundamental do mundo social e político concreto.

Os pressupostos da teoria da modernização de Parsons são, portanto, complementares aos da sociologia do "vira-lata" brasileiro de Buarque e seus inúmeros seguidores. A questão básica da sociologia para Parsons é perceber como a ação social pode ser integrada por meio de valores compartilhados socialmente. Nesse sentido, a questão de perceber como os valores sociais orientam a ação prática é o objetivo maior da ciência social. A construção das *pattern variables* levada a cabo por Parsons e Edward Shils em *Toward a General Theory of Action*[14] (Rumo à teoria geral da ação) espelhava precisamente pares dicotômicos de orientações valorativas que permitiriam determinar o sentido da ação social em qualquer contexto concreto. Os polos dessas variáveis refletiam exatamente as oposições que estamos discutindo aqui: racional, impessoal e universal, ou seja, o "espírito", de um lado; afetivo, personalista e particularista, ou seja, o "corpo", de outro.

Ambas as construções são como imagens no espelho de uma e outra. Em contraponto à construção do predomínio do primitivo, pessoal e corrupto como marca da sociedade pré-moderna e patrimonialista, temos a afirmação da modernidade, impessoalidade, honestidade e confiança típicas das sociedades centrais. Esse quadro vigora até hoje nas "ciências da ordem" hegemônicas praticamente sem críticas. É importante sempre notar que não apenas as sociedades são percebidas como "inferiores" nos dois aspectos decisivos da moralidade dominante, o cognitivo e o moral. Também os habitantes dessas sociedades passam a ser vistos como indignos de confiança. Basta ver, por exemplo, na imensa maioria dos *westerns* americanos, a representação dos mexicanos, percebidos por todos como potencialmente corruptos. É aqui que reside o inegável preconceito que essas construções carregam consigo.

Como o afeto e a emoção são percebidos na hierarquia moral ocidental como o outro negativo da razão e da moralidade desde Platão,[15] e como a doutrina platônica da virtude foi transformada no caminho da salvação cristão, essa perspectiva se tornou a base cotidiana e inconsciente de toda a ética ocidental. Quando Santo Agostinho, no começo de nossa era, interpreta a virtude cristã como controle dos afetos pelo espírito, ele cristaliza a forma como, no mundo moderno, primeiro a Igreja, depois famílias, escolas, fábricas, universidades, imprensa e, em seguida, todos nós iremos "avaliar" o mundo de modo automático e pré-reflexivo pelo poder da repetição e pela ubiquidade dessa mensagem subliminar. É assim que uma ideia absurda como a "tendência à corrupção" de todo um povo, a famosa preferência pessoal em vez do domínio da impessoalidade (como se existisse alguma sociedade "impessoal" no mundo!), passa a ser aceita como óbvia inclusive por quem é oprimido e explorado por ela.

E como o que é discutido nos jornais, na televisão, nas universidades, nos tribunais e nos parlamentos é sempre alguma forma de repetição mais simplificada da produção de intelectuais influentes, conhecer esses argumentos "intelectuais", nos seus meandros com os interesses dominantes, é entender como o mundo funciona de verdade. No mundo cotidiano, essas ideias parecem não ter autoria e ser tão naturais como ter duas pernas e dois olhos. Por conta disso, recuperar a sua gênese perdida é o mesmo que recuperar o sentido mais profundo de nossas ações e avaliações no mundo.

Mas isso ainda não é o mais importante. Hoje em dia, parte-se da suposição de que a teoria da modernização morreu no final da década de 1960,[16] quando alguns dos seus arautos mais importantes passaram a criticar de forma decidida parte de seus pressupostos centrais.[17] Isso simplesmente não é verdade. Os pressupostos do "racismo cultural" da teoria da modernização continuam a operar até hoje em literalmente todas as grandes teorias sociais que pretendem lidar com a sociedade mundial e explicar o desenvolvimento diferencial das sociedades. Basta pensar na importância prática da obra de um Samuel Huntington nos Estados Unidos e no mundo ou de um Niklas Luhmann na Europa, ambos influenciados pelo parsonianismo.

Obras como *The Moral Basis of a Backward Society* (As bases morais de uma sociedade atrasada), de Edward Banfield, correram o mundo e influenciaram brasileiros e cientistas periféricos no mundo todo durante décadas, inclusive na Itália, o país "atrasado" a que se refere o título, onde o livro ainda é lido e estudado como pesquisa séria. Banfield mostra que a atitude em relação ao mundo no Kansas americano e no Sul da Itália não dependeria de causas contingentes históricas e sociais, mas sim da herança "cultural" de familismo amoral na Itália e de protestantismo ascético no Kansas. Configurações de classe e padrões contingentes de desenvolvimento histórico são substituídos por racismo travestido de ciência e engolido como tal por quem se vê oprimido por ele.

O exemplo de Banfield, em inúmeras versões, ainda é o padrão hegemônico implícito ou explícito de análise das diferenças nacionais e culturais. Samuel Huntington, no seu best-seller *O choque de civilizações*,[18] usa o mesmo modelo para a análise das relações internacionais, dando elementos, por exemplo, para uma "guerra cultural" contra o islamismo. Para ele, a América Latina também é o planeta do atraso e da corrupção. Mais adiante veremos quem financiava Huntington e seus estudos em Harvard para defender esse tipo de ideia. O problema é que esses exemplos podem ser multiplicados aos milhares. Eles refletem a forma dominante de compreensão do mundo desde o começo da hegemonia americana depois da Segunda Guerra Mundial.

Passa a existir inclusive uma divisão de trabalho internacional segundo a qual os americanos são os únicos que podem falar sobre o mundo, enquanto os outros só falam sobre seu país e sua região. Mesmo em um país de tradição de pensamento tão vigorosa quanto a Alemanha, é digno de nota que, se Max Weber ainda falava do mundo, Jürgen Habermas se restringe à Europa, refletindo a nova divisão de trabalho internacional no mundo científico. O racismo velado do "culturalismo científico" que legitima o imperialismo informal americano opõe e separa, como configurações qualitativa e substancialmente diferentes, as sociedades ditas "avançadas" das ditas "atrasadas" – ou, como manda o politicamente correto, das "sociedades em desenvolvimento". Essa oposição é construída simultaneamente nas dimensões cognitiva e moral, ou seja, as sociedades avançadas e, por extensão, seus membros são percebidos como mais racionais – pelo lado cognitivo –, assim como moralmente superiores.

Como essas categorias só são compreensíveis na relação especular e dual com suas oposições binárias, as sociedades atrasadas – as latino-americanas, no nosso caso – têm então que ser construídas como negatividade tanto na esfera cognitiva quanto na esfera moral. E é precisamente isso que acontece na realidade. Assim, para fazer a oposição especular perfeita, as sociedades latino-americanas são percebidas por todas as versões hegemônicas desse culturalismo como "afetivas e passionais" e, consequentemente, corruptas, dado que supostamente "personalistas". Tudo acontece como se houvesse, neste planeta, sociedades nas quais o pertencimento familiar à elite não decidisse de antemão o sucesso e como se relações pessoais proveitosas não estivessem na base de todo tipo de privilégio fático em qualquer lugar.

Os efeitos políticos desse modelo tornado hegemônico são fáceis de identificar. Primeiro, o efeito conservador e de acomodação "para dentro", dado que, se os Estados Unidos já são o perfeito exemplo de modernidade realizada, então não existe nenhuma mudança desejável para a própria sociedade americana. Veremos em detalhe, mais adiante, como esse é um dos elementos cruciais para a manipulação do próprio povo pela elite americana na estratégia do que ficou conhecido como "produção do consentimento".

Segundo, como a modernidade é percebida como um conjunto unitário e homogêneo de orientações valorativas – todas elas apenas positivas –, então a legitimação científica da dominação fática dos Estados Unidos se torna completa. O imperialismo informal americano passa a ter um equivalente "científico", que o justifica como necessário e desejável. Inclusive a palavra cheia de prestígio

"Ocidente" passa ser algo restrito às sociedades do Atlântico Norte, ou seja, Europa Ocidental e Estados Unidos/Canadá. Essa configuração encobre perfeitamente o tipo de imperialismo ampliado americano que inclui aliados subalternos para evitar as guerras imperiais que levaram a guerras mundiais altamente destrutivas.

É nesse sentido que em tais lugares se fala do Brasil e da América Latina não só como não fazendo parte do Ocidente, mas também como perfeito exemplo do "orientalizado" oposto ao Ocidente. Hoje em dia, todo europeu e todo norte-americano, seja abertamente racista ou não, se acredita superior aos latino-americanos, africanos ou asiáticos. Alguém duvida da importância prática desse preconceito para a legitimação das desigualdades globais?

A contraposição do "homem cordial" brasileiro é o suposto "protestante ascético", idealizado como homem da racionalidade, do espírito, da disciplina e, não menos importante, da honestidade. Talcott Parsons, como vimos, foi a referência mais prestigiosa e abstrata de uma teoria global, a teoria da modernização, acerca do desenvolvimento diferencial das sociedades, que garantia o lugar de modelo e exemplo para a sociedade americana supostamente ainda protestante ascética. Com isso se forja uma falsa explicação da desigualdade e dos níveis de desenvolvimento entre as sociedades que permite às elites defender, de um ponto de vista global, *qual é o lugar reservado para cada nação*. Relações fáticas de dominação são justificadas a posteriori como decorrentes de uma superioridade natural de culturas com mais espírito em todas as dimensões: mais inteligentes, de mais bom gosto e, ainda mais importante, honestas. É desse modo que a pseudociência legitima situações de dominação e de opressão sistemáticas.

Parsons supostamente retira de Max Weber a centralidade da noção de protestantismo ascético para a produtividade do mercado e para a democracia – assim como fazem Buarque e Faoro. Só que Weber falava da importância do protestantismo ascético para a *gênese* do capitalismo, e não, como Parsons, para a expansão do capitalismo para todo o globo terrestre, o que é uma questão muitíssimo diferente. Na verdade, a expansão do capitalismo não acontece por heranças culturais transmitidas pelo sangue. Quando o capitalismo se consolida, sua eficácia se dá pela ação de instituições "exportadas já prontas", como diria Weber, como a fábrica, a escola, as burocracias, etc.[19] É a busca pelo sucesso nessas instituições que irá estimular as famílias a educar seus filhos na disciplina e no autocontrole. A disciplina, o autocontrole das emoções e o pensamento prospectivo, que são, na verdade, o alfa e o ômega da personalidade protestante, são agora produzidos pelos exames escolares, pela disciplina de fábrica e pela ordem burocrática em todo lugar onde essas instituições fiquem de pé. E elas ficaram inegavelmente de pé em países como o Brasil, por exemplo.

Em resumo, não é mais necessário a pessoa ir à igreja para ser "protestante" no que interessa à dinâmica capitalista. A eficácia institucional disciplinadora, como também sabia Foucault,[20] produz as práticas e os discursos necessários a isso. Além disso, como também sabia Weber, o protestante é um "mediador evanescente" na fórmula perfeita de Gabriel Cohn,[21] ou seja, ele morre enquanto tal assim que o mundo social criado por ele ganha autonomia. Isso significa que o filho do protestante ascético se torna utilitarista, e seu neto, um mero consumidor hedonista de mercadorias. Weber chama isso de "tragédia de todo ascetismo", que produz involuntariamente a riqueza que abominava. Já para quem nasce na riqueza, a tentação da fruição dos bens e das mercadorias tende a ser inevitável.[22] No entanto, se fosse utilizado dessa forma, o pensamento de Weber não poderia servir de legitimação para as necessidades reais do imperialismo informal americano, que evita a competição interimperial para melhor subordinar os "povos inferiores". A estratégia americana é a do G7, com eles próprios no comando.

O que vale para o indivíduo vale para a sociedade. A sociedade consumista e altamente produtiva que nasce com a Guerra Civil Americana já em nada se assemelha à sociedade de pequenos produtores rurais protestantes ascéticos que a havia construído. A partir daí, o *self-made man*, protestante ascético, como demonstra brilhantemente C. Wright Mills,[23] o contraponto crítico de Talcott Parsons na sociologia americana, se torna um símbolo, e não mais realidade. Um símbolo que será usado contra os outros povos e contra seu próprio povo por sua elite e seus intelectuais para legitimar a desigualdade e a injustiça social de fato. Ele se transforma em núcleo da noção de meritocracia da hegemonia americana. Como não existe exploração econômica duradoura se a inteligência do oprimido não for colonizada, é necessário o *soft power* – o poder suave – do prestígio científico. A partir do domínio sobre o que é falso ou verdadeiro, se chega à questão ainda mais importante acerca do que é bem ou mal, justo ou injusto.

Talcott Parsons de um lado e Sérgio Buarque de outro são como imagens no espelho de uma mesma pseudociência culturalista cujo fim último é legitimar situações evidentes de dominação. Em vez do racismo racial explícito do século XIX usado para explicar as diferenças de desenvolvimento relativo entre as sociedades, o racismo culturalista substitui estoque racial por estoque cultural. No lugar do branco, temos o protestante revestido das características do espírito e da superioridade em todas as dimensões. No lugar do negro, temos o homem dos afetos, do corpo, da animalidade, que pode ter qualquer cor – o que, portanto, aumenta o raio de ação e a aplicabilidade dessa visão.

A ciência americana que legitima seu imperialismo informal tem que ser compartilhada também pela ciência oficial dos países satélites. O imperialismo americano, inclusive, só pode ser "informal", ou seja, abdicar, na maioria dos casos, dos custos de uma intervenção militar direta, se conseguir produzir uma visão de mundo também compartilhada pelas elites dos Estados satélites que ele coloniza. Esse domínio simbólico tem que abranger desde a hierarquia mais alta das produções do espírito, como as artes e a ciência, até o senso comum dominado pela indústria cultural. A "ciência americana" tem que ser, nesse sentido, um falso "novo paradigma" nas ciências sociais, às quais cabe explicar o mundo para todas as elites funcionais que operam no Estado e no mercado de todos os países colonizados. A substituição do paradigma do racismo científico, típico do colonialismo europeu do século XIX, pelo culturalismo, típico do colonialismo americano, espelha a perfeita continuação dos mesmos preconceitos sob a máscara da novidade e como se o racismo tivesse sido abolido.

Como os pressupostos envenenados do culturalismo são compartilhados pela ciência hegemônica também nos países colonizados, como vimos no caso brasileiro, a associação para a pilhagem econômica do próprio povo entre as elites americana e colonial em cada país ganha o selo e a pátina legitimadora do prestígio científico. Desse modo se consolida o papel dos Estados Unidos de sentinela de uma divisão de trabalho internacional na qual os países do Sul global como o Brasil são condenados a produzir e exportar *commodities*, enquanto os Estados Unidos e o G7, que possuem o espírito, a inteligência e a honestidade, ficam com todas as atividades realmente lucrativas. Também é necessário fazer o povo brasileiro compreender que é melhor dar de graça aos americanos a BR Distribuidora e a Embraer, apenas para citar dois entre centenas de exemplos recentes, porque nossos políticos são corruptos, enquanto os americanos são a fina flor da honestidade e da competência.

É desse modo que uma suposta ciência, cujos pressupostos são partilhados tanto pelos intelectuais quanto pelas elites dos países do G7 e dos países do Sul global, é o fundamento mais importante do imperialismo que impede o desenvolvimento igualitário entre os países do mundo. A ciência colonizadora e racista substitui as armas e a agressão direta aos países colonizados e condenados à submissão eterna. É importante perceber, no entanto, por mais importante que sejam as escolas e as universidades na produção e na reprodução de elites nos países do centro e de elites colonizadas nos países periféricos, que essa ciência racista não fica confinada às universidades.

Como são as universidades que irão formar todos os artistas, cineastas, produtores de TV, publicitários, assim como os jornalistas de toda a imprensa, os pressupostos racistas da ciência hegemônica tendem a conformar, também, todo o horizonte do entretenimento, da publicidade, da imprensa e da indústria cultural. Quando a interpretação científica se torna "identidade nacional", ela passa a dominar todas as expressões simbólicas e toda a produção de ideias em todas as áreas. É na identidade nacional – incorporada como parte da própria personalidade por todo indivíduo que nasce em dada sociedade – que as ideias se tornam "corpo", no sentido de reflexo automático e inconsciente, e se confundem com a identidade individual. Assim, odiamos quem critica a "nossa" identidade nacional como odiamos quem nos critica. Ao alcançar esse estágio, a elite ganhou a luta pela hegemonia cultural, posto que ganhou a "alma" de todos os indivíduos de todas as classes. Até os representantes do povo, como a esquerda no Brasil, como veremos mais adiante, professam a mesma visão de mundo elitista que criminaliza o próprio povo. Essa parece ser a única visão possível para toda a sociedade.

Mas os Estados Unidos criaram não apenas uma ciência abstrata que passou a ser consumida no mundo todo, mas também uma indústria cultural com os atores mais charmosos e sedutores e as atrizes mais charmosas e sedutoras para inculcar seu suposto excepcionalismo de povo eleito como visão oficial do planeta. Por conta disso, a França, para ingressar no G7, teve que abandonar a proteção de sua própria arte e de seu próprio cinema, antes pioneiro e inventivo, em favor do cinema americano.[24] Como a mercadoria cultural, qualquer que seja seu formato, tende a produzir estereótipos e reproduzir o conhecimento reconhecido como válido, ela passa a ser a instância ideal para a reprodução global de todo tipo de preconceito racista, nos termos definidos anteriormente, de modo imperceptível enquanto tal.

É por conta disso que árabes, latinos, eslavos e negros são as vítimas recorrentes de todo tipo de estereótipo odioso no cinema e nas séries televisivas de grande público. Eles representam os criminosos, os traficantes, as pessoas pouco confiáveis e desonestas, aqueles que, como a "ciência" racista já havia ensinado, devemos temer e odiar. O prestígio científico, embalado como arma de guerra, passa a ser veiculado pelos atores e atrizes mais atraentes, talentosos, charmosos e desejáveis, sequestrando e seduzindo nossa inteligência pela força irresistível da atração sexual e amorosa.

Transformado em desejo pela indústria cultural e do entretenimento, o racismo científico hegemônico se torna autônomo. Na esfera política, ele legitima entregar as riquezas brasileiras e o orçamento público, via dívida pública artificial, aos especuladores americanos, sem qualquer protesto no próprio país. O mesmo acontece com a entrega da Embraer a preço de banana à decadente Boeing, mesmo com encomendas bilionárias já confirmadas, tecnologia de vanguarda e um status de liderança no mercado. O mesmo preconceito autoriza que empresários americanos penetrem no mercado nacional e se definam como íntegros, em óbvia comparação – indevida e mentirosa, como este livro irá mostrar – com os supostos corruptos apenas brasileiros.

Esse racismo primordial que se torna "científico" penetra também as regiões do inconsciente coletivo de toda a população, determinando suas escolhas mais íntimas, que não são mais passíveis de análise crítica ou de autoproteção. Nesse terreno, a idealização do opressor corre solta e sem amarras. Passamos literalmente a amar quem nos domina e escraviza. Que o digam as mulheres brasileiras cujo sêmen preferido para inseminação artificial é o *made in USA*: louro, alto e branco.[25] Tudo para garantir a maternidade de um protestante inteligente e, acima de tudo, finalmente honesto!

A fábrica do consenso: a elite funcional do império

Este livro é sobre como a dominação americana moderna é baseada no que se chama erroneamente de *soft power*, ou poder suave. De "suave" a dominação simbólica não tem nada. Ela domina o oprimido pelo espírito, escravizando sua capacidade de julgamento e, consequentemente, de ação. Ela o convence de sua própria inferioridade e faz dele um escravo que se imagina livre. Não há violência mais insidiosa que a escravidão sem os sinais visíveis e facilmente palpáveis da escravidão física e material. É por conta disso que vale a pena compreender como ela funciona.

Como já adiantamos, existe uma divisão de trabalho e uma segmentação institucional no campo da dominação simbólica. O nível mais abstrato e de maior prestígio é o da ciência – simplesmente porque ela herda da religião o poder sagrado de dizer a "verdade" e, a partir disso, definir o que é justo ou não. Com efeito, a utilidade funcional da ciência para o trabalho de dominação de fato, como acabamos de ver, é efetivamente fundamental. A partir dela temos a dominação de todo o sistema educacional internacional em todos os níveis de escolaridade. Isso não é pouco. Todas as elites educacionais de todas as áreas vão tender a perceber o mundo de acordo com a teoria hegemônica do culturalismo americano.

Mas não apenas o sistema educacional e universitário. A partir dele temos a influência sobre todas as esferas de decisão, no judiciário e na própria política. Veremos como isso foi importante para o golpe de 2016 no Brasil. Também toda a indústria cultural e do entretenimento vai formar seus esquemas interpretativos do mundo – repetidos milhares de vezes à exaustão – a partir desse mesmo cabedal de ideias e interpretações dominantes. Por último, mas de modo algum menos importante, temos a imprensa, que não cria as ideias que utiliza, mas as toma do mercado hegemônico de ideias científicas. É por conta disso que a ciência é tão importante. Ela é a instância de maior prestígio e capilaridade na produção da dominação simbólica.

No entanto, a dominação simbólica não fica apenas na dimensão científica mais abstrata da produção de livros e aulas universitárias, por mais importante que isso seja na formação intelectual das elites funcionais que irão comandar as sociedades em todas as esferas em nome dos proprietários. É necessário observar também a produção prática da elite funcional envolvida diretamente no trabalho de dominação social e política. A relação dessa elite funcional, que está com a "mão na massa", com a produção científica mais abstrata é de influência e interdependência recíprocas.

A elite funcional não apenas se nutre do conhecimento científico já existente como também incentiva indiretamente ou cria com as próprias mãos uma produção científica a partir de sua vivência prática. Como opera com questões e desafios concretos em nome de grandes empresas ou de governos, ela adapta o conhecimento existente a seus fins, ao mesmo tempo que direciona e orienta o sentido do conhecimento científico hegemônico futuro. O problema prático da elite funcional americana, como veremos, era o de internacionalizar as leis e o alcance do Estado americano como forma de garantir a expansão econômica do grande capital americano. O *soft power*, o poder simbólico das ideias e dos valores que elas carregam, vai servir a essa aspiração principal.

No caso do império "informal" americano, o que está em jogo é a mais perfeita imbricação entre dinheiro e dominação política de que se tem notícia. Na verdade, o que está em jogo é a reprodução de privilégios de uma pequena elite dos negócios, que controla a riqueza americana e cada vez mais a riqueza mundial a partir da subordinação das respectivas elites locais e da associação com elas. A relação é de associação com as outras elites econômicas dos países do G7, uma espécie de *primus inter pares*, e de comando e subordinação em relação aos países colonizados como o Brasil. Assim sendo, é crucial compreender a forma como as respectivas elites nacionais, num mundo sob o domínio do império americano, se constituem. Por conta disso, a segunda parte deste livro vai analisar a forma específica como esse processo se deu no Brasil.

Mas o dado fundamental em todos os casos vai ser sempre a dominação sob todos os meios do próprio povo americano, especialmente das classes trabalhadoras e populares. É esse o modelo que será depois exportado para o mundo sob seu controle. A história da sociedade americana moderna, os Estados Unidos que nascem a partir da Guerra Civil de meados do século XIX, é a história da crescente dominação da política nacional e mundial pelo dinheiro e pelo capital industrial e financeiro americano. Como iremos ver, seu verdadeiro inimigo é o povo, especialmente as classes populares dentro e fora do país.

Iremos discutir esses aspectos inter-relacionados em dois passos: 1) a expansão das regras e do aparato legal e econômico do

Estado nacional americano para o resto do mundo; 2) a construção, pela elite funcional americana, de uma ideologia específica, pensada como uma estratégia de guerra militar para legitimar esse processo: a produção do consentimento.

A expansão global do Estado americano

Quando falamos em capitalismo, tendemos a pensar em um sistema econômico que funciona de modo autônomo e independente. A política e o Estado são percebidos, no máximo, como coisas que estão "ao lado" da economia para zelar pela força dos contratos e pela manutenção da ordem social. Essa visão distorcida e superficial é ainda mais forte quando se trata de analisar o capitalismo americano, percebido por muitos como o caso mais clássico de "capitalismo puro", ou seja, marcado pela existência de um mercado dinâmico e um Estado fraco. Nada mais longe da verdade. Na realidade, nunca existiu um modelo de capitalismo independente da política e do Estado. Onde quer que esse sistema tenha atingido graus expressivos de desenvolvimento, isso só foi possível graças a uma política de Estado dirigida a esse objetivo. Isso fica claro como a luz do Sol, sobretudo quando examinamos o nascimento e o desenvolvimento do próprio imperialismo "informal" americano.

Ao contrário dos impérios, que uniam o controle econômico ao controle militar e político sobre um território e sua população, o imperialismo americano procura separar a influência econômica da intervenção militar e política direta e continuada. Ainda que ocorram, obviamente, intervenções militares, elas são destinadas a ser passageiras, e não permanentes. Além disso, as intervenções políticas tendem a ser mais indiretas do que diretas. Nesse sentido, os americanos buscaram aperfeiçoar o exemplo inglês do imperialismo do "livre comércio", ou seja, a criação de uma área de influência e expansão econômica que favorecesse seus interesses econômicos em detrimento da comparativamente muito mais custosa intervenção militar direta. Também com base no exemplo inglês, os americanos perceberam que poderiam melhor resguardar seus interesses econômicos se operassem em aliança com as elites locais, e não contra elas.

O imperialismo indireto ou informal exige, portanto, uma supremacia econômica e tecnológica que deve se reproduzir indefinidamente e uma ideologia convincente e, se possível, dado o prestígio da ciência, "cientificamente comprovada". Na verdade, é a ideologia que, ao penetrar na mente do oprimido, retira e enfraquece suas defesas, tornando-o uma presa fácil da dominação econômica. Como vimos, de *soft* ela não tem nada. É mais destrutiva e mais trágica que a violência aberta, posto que submete o oprimido de tal modo que ele próprio se torna a agente principal de sua desventura. Se ela é bem-sucedida, ou seja, se é uma violência simbólica bem perpetrada, a dominação imperialista pode abdicar da força física e militar como meio mais importante de produzir conformidade e obediência.

Isso já era verdade no imperialismo dos ingleses. Para se tornar a defensora do livre comércio para os outros, a Inglaterra já havia desenvolvido políticas de Estado no sentido de inverter as vantagens comparativas do comércio com Flandres a seu favor. Em vez de exportar lã *in natura* para as manufaturas dos tecelões de lá, a Inglaterra importou o know-how da manufatura têxtil de Flandres e passou a produzir roupas e tecidos ela mesma,[26] usando sua lã como matéria-prima. Assim, a demanda por "livre comércio" para as outras nações só poderia ter o sentido de evitar que elas fizessem o mesmo que os ingleses haviam feito na sua própria economia como política protecionista conduzida por seu Estado e seus agentes políticos.

O que é bom para mim não necessariamente é bom para os outros, é o que todo hipócrita diz. Não obstante, foram criadas toda uma visão econômica e toda uma ciência da economia baseadas nas supostas vantagens do livre comércio para todos os envolvidos. Tornou-se, inclusive, a forma como a economia passou a ser ensinada em vários lugares até hoje. Assim, um país que produz e exporta café *in natura*, como o Brasil, ganha apenas um décimo do valor total que os atravessadores e refinadores do café recebem. Se existem empresas industriais com alta tecnologia, como Petrobras e Odebrecht, monta-se um golpe com juízes e procuradores canalhas do próprio país para destruir essas empresas. Tudo em nome do combate à corrupção. No imperialismo informal, não é mais necessário mandar um exército caro e sanguinário ao país que se quer explorar. Basta mandar uma ciência feita com a precisão de um alfaiate para colonizar o pensamento do oprimido e neutralizar sua capacidade de reação.

A passagem para o imperialismo informal, mais inteligente e menos custoso do ponto de vista da nação que o estabelece, exige sempre a violência simbólica do suposto convencimento científico. E, de resto, um aparato estatal construído e azeitado para funcionar como principal defensor do investidor e do capitalista privado nos quatro cantos do mundo. O fato de os Estados Unidos, depois da Primeira Guerra Mundial, mesmo quando haviam deixado de ser um grande devedor e se transformado no grande credor do mundo, não terem construído um imperialismo informal na ocasião se deve, antes de tudo, à fraqueza relativa do Estado americano de então.

O imperialismo informal americano só é criado, com todos os seus pressupostos e consequências, depois da Segunda Guerra Mundial. Isso muito embora os Estados Unidos tenham se tornado a maior potência econômica do globo já na segunda metade do século XIX. Diversas razões explicam esse domínio global relativamente tardio. Primeiramente, o país desenvolve durante séculos uma espécie de "imperialismo para dentro", povoando e em seguida comprando ou conquistando do vizinho México ou de antigas potências coloniais territórios contíguos no próprio continente.

Essa rota de desenvolvimento abre imensos territórios livres para a ocupação econômica, que criam o que se chamaria mais tarde de "fronteira americana".[27] A existência de uma fronteira aberta com terras férteis e cultiváveis marca o desenvolvimento do capitalismo americano de modo indelével em todas as dimensões. As imensidões territoriais a serem povoadas criam, ao mesmo tempo, um atrativo permanente para as massas de imigrantes europeus que chegam aos milhões ao país e uma classe trabalhadora de altos salários relativos, já que a fronteira é uma opção sempre aberta ao trabalhador.

Isso implica, também, que o tipo de desenvolvimento industrial americano seja de capital intensivo, o que aumenta sua produtividade e seu dinamismo ao mesmo tempo que permite a criação de um mercado interno crescente e pulsante composto pela capacidade de consumo da própria classe trabalhadora. Por outro lado, também permite a expansão de uma classe de pequenos e médios proprietários rurais que mantém considerável poder político e simbólico até pelo menos o começo do século XX.[28] Paralelamente, forma-se uma classe de capitalistas e de financistas que aproveitam as chances criadas pela construção de um amplo e dinâmico mercado interno.

A construção da gigantesca malha ferroviária americana, que liga todo o país e desbrava áreas remotas, foi um desses empreendimentos que demandaram extraordinária capacidade logística e concentração de recursos. A mesma capacidade de concentrar recursos e de fazer altos investimentos foi decisiva no desenvolvimento de indústrias fundamentais como as de petróleo e aço. Tamanho dinamismo econômico não poderia deixar de ser acompanhado de conflitos distributivos de toda ordem entre as diversas classes sociais.

Em primeiro lugar, pequenos e médios proprietários de terra incorporavam o lugar simbólico do *self-made man* americano, o pioneiro que faz fortuna com o suor do próprio trabalho, como nenhuma outra classe social, e por isso dispunham de considerável peso político local e regional. Foi a força política dos *farmers* que evitou, por exemplo, uma concentração financeira precoce nos Estados Unidos e retardou a criação de um banco central verdadeiramente operante até o começo do século XX. Até então, uma série de crises econômicas causadas pela falta de regulação e coordenação bancária e financeira chamava a atenção inclusive de observadores europeus.[29] Os proprietários de terra desconfiavam, com razão, que a concentração e a força de um setor financeiro autônomo e centralizado seriam utilizadas contra eles.

Nos centros urbanos, os conflitos de classe são ainda mais explosivos. Até o final do século XIX, os Estados Unidos possuem o maior e mais organizado e atuante proletariado do mundo, com greves constantes e grande atividade sindical, ainda que esta seja considerada ilegal. Por outro lado, forjada no embate com os trabalhadores, se cria uma classe de capitalistas com inaudito grau de coesão e de consciência de classe, que age em conjunto contra sindicatos e grevistas. Essa é a grande e verdadeira luta decisiva da sociedade americana. Muitas das greves terminam em banho de sangue, com a polícia atuando como tropa armada do capital.

As lutas dos trabalhadores americanos alcançam o seu pico nos anos 1890, quando as reivindicações da legalização de sindicatos nas indústrias do aço, das minas e das ferrovias quase conseguem a adesão dos pequenos e médios proprietários rurais radicalizados. A radicalização da luta de classes faz com que os capitalistas, por sua vez, ajam em conjunto e de modo concertado para influenciar o poder político a seu favor. São criadas várias organizações patronais em níveis local, regional e nacional para representar os capitalistas, como a influente Associação Nacional dos Industriais (National Association of Manufacturers), para combater a crescente ação sindical.

Consolida-se por volta dessa época entre os empresários a necessidade de uma consciência de classe da liderança capitalista a ser construída em aliança com o Estado americano.

O reagrupamento das forças das classes em disputa leva a uma nova aliança dos capitalistas com o Partido Republicano, forjada no contexto da decisiva eleição de 1896, com a vitória da coalizão capitalista sobre as forças populares. A vitória republicana leva a mudanças fundamentais no sistema político americano e na função do Estado. Em primeiro lugar, mudanças das regras eleitorais têm o intuito de reduzir drasticamente a força dos sindicatos e das organizações dos trabalhadores. Também o poder judiciário passa a atuar em uníssono como força conservadora contra as reivindicações dos trabalhadores.

Por outro lado, o aparelho estatal, crescentemente alheio às pressões populares, passa a agir como representante do mundo dos negócios e do capitalismo americano não só no horizonte doméstico, mas, pela primeira vez, internacionalmente também. Começam a se delinear os traços específicos do imperialismo informal americano quando, a partir do final do século XIX – utilizando a guerra contra a Espanha, em 1898, como ilustração –, os Estados Unidos se lançam como potência imperial com interesses inicialmente na América Central, no México, na China e, a partir daí, em toda a América Latina.

A equação dessa ação externa tem que resolver um tipo de problema novo que se apresenta quando o foco da ação colonial é transferido da exploração meramente comercial para a intervenção industrial e financeira. Esse é precisamente o caso do imperialismo informal americano. Em vez da colonização puramente comercial, como no imperialismo clássico, a extensão e a profundidade do controle político dos territórios estrangeiros têm que ser, comparativamente, muito maiores no caso de investimentos em mineração, ferrovias ou indústrias no país informalmente colonizado. Nesse último caso, a proteção do investidor americano exige segurança para os títulos de propriedade contra revoluções e mudanças de governo, além de uma administração eficiente, um sistema bancário operante e câmbio seguro.

Assim, um imperialismo moderno exigiria, no caso americano, o reconhecimento da existência de um Estado soberano e nacional como uma precondição para o progresso, mas também um policiamento global pelas potências imperiais do que se chamaria *good government* – ou bom governo – nos países colonizados. Já no começo do século XX, esse dilema foi bem captado por Paul Reinsch, um importante cientista político americano, o qual mais tarde seria, de modo muito sugestivo, nomeado por Woodrow Wilson embaixador americano na China. Reinsch chamava atenção para o fato de que os governos em muitas partes do mundo seriam muito instáveis e "corruptos" para possibilitar investimentos estrangeiros seguros em seus territórios.

É extremamente interessante o uso de desqualificações morais – como a "corrupção" – como uma forma de legitimação para a atividade imperialista. Ela já prefigura o uso, por parte dos norte-americanos, de uma ciência "culturalista", criada com precisão para construir uma forma de subordinação moral nos próprios países dominados, pela força do "convencimento científico". No Brasil, como vimos, o sucesso dessa estratégia foi devastador. Isso permitiu aos Estados Unidos exercerem sua dominação econômica e ainda fazer uso da retórica dos direitos humanos, do princípio da autodeterminação dos povos e da noção abstrata de liberdade como os pilares do tipo particular de imperialismo norte-americano.

A ideia a ser transmitida é que a ação imperialista americana é benéfica para os povos por ela submetidos e vai além: o imperialismo americano deveria ser visto como uma reedição moderna, nos novos termos do capitalismo industrial e financeiro, do peso civilizatório, uma obrigação dos países mais adiantados de "civilizar" os mais atrasados para o seu próprio bem, sobretudo combatendo a sua "corrupção estrutural". A mesma "corrupção" que, de resto, já vinha sendo teorizada por intelectuais americanos e dos países colonizados como um "traço cultural" que deveria ser extirpado.

Como disse Reinsch:

Os tribunais nos países atrasados são regulados muito frequentemente por favoritismo e propina, de tal modo que a propriedade do estrangeiro não está segura. A partir desse fato, naturalmente brotam demandas por governos estáveis e responsáveis que possam tornar possível o desenvolvimento dos recursos desses países, mesmo contra a vontade de seus habitantes onde estes se ponham teimosamente contra o progresso industrial. [...] Nesse sentido, as necessidades reais para a expansão da raça humana estão ligadas ao autointeresse do capitalismo em formar condições homogêneas para sua expansão.[30]

Essas "condições homogêneas" seriam, obviamente, uma espécie de expansão internacional das regras e, portanto, dos interesses americanos nelas consolidados para todo o globo. Desde o começo de sua ação internacional como potência imperialista, os Estados Unidos desenvolveram duas frentes de batalha para a "homogeneização" das precondições de sua ação nos países sob sua influência: uma financeira e outra legal. Em cada uma dessas esferas, assumiam o protagonismo o Departamento do Tesouro e o Departamento de Estado, respectivamente, dentro do aparelho de Estado americano. Com relação às precondições financeiras, estavam a pressão para a adoção do padrão-ouro e, mais tarde, para a adoção do dólar como moeda de referência nas transações bilaterais.[31]

Na dimensão legal, o fundamental era desenvolver um clima favorável à aceitação da assim chamada "proteção às marcas comerciais", uma espécie de precursora da proteção dos direitos intelectuais de hoje em dia, e, ainda mais importante, da proteção da propriedade privada como defesa contra expropriações. Desde muito cedo, nas suas relações com os países latino-americanos, os Estados Unidos se esforçaram por exportar os procedimentos jurídicos das cortes americanas como exemplo e como meio de objetar leis dessas nações que supostamente tivessem, a seus olhos, um "caráter confiscatório".

A doutrina do Departamento de Estado desde cedo enfatizava que o discurso e a proteção da propriedade privada deveriam se dar no contexto do sistema legal das "nações civilizadas". Nesse sentido, desde Theodore Roosevelt, tanto a Corte Permanente de Justiça Internacional quanto a Corte Internacional de Justiça tendiam a tornar a proteção ao capital americano equivalente à proteção aos direitos de propriedade em geral. O que estava em jogo era a subsunção do direito internacional à lei americana e aos seus princípios constitucionais.

Por outro lado, a insistência norte-americana em Estados nacionais formalmente independentes permitia que sua ação neocolonialista pudesse ser vista como um estímulo à liberação nacional onde esta estivesse em jogo. A expansão do interesse americano para o globo teria que ser travestida de interesse geral, ou seja, vendida como se fosse para o bem e para a autonomia dos países "informalmente" colonizados. Esse é o primeiro dado fundamental da informalidade do imperialismo norte-americano. O outro dado fundamental, que se tornará com o tempo cada vez mais importante, é a recusa da competição e da rivalidade interimperial, algo que antes havia levado a guerras e conflitos constantes entre as grandes potências imperialistas.

Desse modo, o imperialismo informal americano se diferenciava de três maneiras importantes do imperialismo – apenas parcialmente informal – inglês. Primeiro, havia a necessidade de expandir o próprio objeto da ação imperial para além de uma concepção meramente comercial, no sentido de englobar também a dimensão financeira do capitalismo em uma escala planetária. Depois, a ênfase na manutenção de Estados nacionais formalmente independentes permitia a legitimação de qualquer empreitada como defesa da democracia, da autodeterminação dos povos e dos direitos humanos. Finalmente, se diferenciava também pela abordagem de ação conjunta entre todas as nações imperialistas no sentido da manutenção do status quo vigente em detrimento de todas as outras nações.

Essa estratégia – que seria institucionalizada em Bretton Woods[32] depois da Segunda Guerra Mundial, com os Estados Unidos como *primus inter pares* e polícia do mundo – já estava prefigurada no modo como foi construído o Consórcio Chinês de 1912. Esse consórcio bancário tinha o intuito de financiar a penetração do capital internacional no território chinês e foi realizado já na abordagem típica do G7, com os Estados Unidos, a Europa e o Japão colhendo os frutos comuns da empreitada. No entanto, todos esses elementos, que vinham sendo gestados desde o século XIX, puderam ganhar realidade prática apenas com a ampla destruição que se estabeleceu depois da Segunda Guerra Mundial. Ainda que os Estados Unidos tivessem entrado na Primeira Guerra Mundial como o maior devedor e saído dela como o maior credor mundial, a libra inglesa continuava a ser uma moeda de referência mundial e ao Estado americano faltavam as capacidades que o habilitariam a administrar seu império informal em escala planetária.

Essas capacidades estatais são precisamente uma das maiores heranças do *New Deal*, a política de forte intervenção estatal na economia e na vida social e política sob o comando de Franklin

Delano Roosevelt a partir de 1932. Roosevelt realizou o maior esforço americano de construção de um Estado social e de liberdades trabalhistas, pensadas, no entanto, como uma aplicação de conceitos keynesianos para possibilitar o desenvolvimento capitalista de modo organizado e aplicado por uma burocracia agora estatal. Até então, a prática americana era utilizar conselheiros e principalmente advogados ligados ao grande negócio como representantes do Estado na arena nacional e internacional.

O fundamento do *New Deal* como política de Estado era precisamente evitar que os interesses capitalistas privados controlassem enquanto tal toda a atividade do Estado, impedindo sua autonomia relativa na condução da economia e, portanto, sua capacidade de corrigir as consequências não intencionais do mercado em situações de crise. Na dimensão econômica, o Federal Reserve, o banco central americano, adquire funções que vão muito além da de servir como último recurso para evitar a insolvência de bancos e passa a administrar toda a performance da economia. A separação entre bancos de investimento e bancos comerciais permitiu que a especulação com títulos e atividades de risco na arena internacional ficasse com os primeiros, enquanto os segundos financiavam o esforço de reconstrução industrial interna com juros baixos.

O Departamento do Tesouro assume a preponderância em relação ao banco central e ao Departamento de Estado e funciona como defensor da economia como um todo, insulando as influências de capitalistas individuais antes decisivas. O Estado passa a funcionar como instância racionalizadora do capital sob a supervisão de agências reguladoras e adquire uma burocracia baseada em mérito e capacidades técnicas. Além disso, o esforço de guerra viabiliza rapidamente forças armadas permanentes sem rival no planeta. No final da Segunda Guerra Mundial, ao contrário do que havia acontecido na Primeira, o Estado norte-americano já havia desenvolvido capacidades fundamentais para assumir o comando do processo de reorganização do capitalismo em escala mundial. Com a ameaça soviética às portas, o *New Deal* doméstico americano também é exportado sob a forma do "compromisso social-democrata" para todos os países-chave da Europa Ocidental. O compromisso de classes rooseveltiano passa a caracterizar o Partido Democrata americano, que exporta o mesmo modelo para os países aliados europeus de modo a conseguir o consentimento das classes trabalhadoras locais.

A produção do consentimento: a ideologia americana e a guerra contra o próprio povo

Como estamos vendo, a abordagem americana é internacionalizar as estratégias bem-sucedidas no país para assegurar o domínio de sua classe de capitalistas em todo o mundo – uma classe cevada, organizada e unida na luta contra a classe trabalhadora dentro do próprio país. A democracia americana do tempo dos pioneiros e decantada por Tocqueville[33] se transforma, ao longo da última metade do século XIX, numa plutocracia dos super-ricos, que opera com mão de ferro e usa todos os meios para se perpetuar no poder. Desde então, a plutocracia dos negócios rege a política americana. Os doze anos de *New Deal* rooseveltiano, entre 1932 e 1944, e sua continuidade no ambiente internacional até o final dos anos 1960 foram as únicas exceções – ainda assim, apenas parciais.

Como acontecerá no Brasil, o grande inimigo do domínio irrestrito das plutocracias econômicas americanas serão o sufrágio universal e a democracia como formas universalmente aceitas de justificação de todo tipo de poder político. São precisamente elas que permitem a participação popular num sentido contrário aos interesses elitistas. Como não existe, depois da decadência do direito divino dos reis, outra forma de legitimar a dominação política que não pelo sufrágio universal, a saída da elite americana foi desenvolver maneiras de manipular a população de modo a fazê-la se comportar contra os próprios interesses. Isso tudo mantendo formalmente o processo democrático. Assim, ao contrário da elite brasileira, sempre disposta a recorrer a golpes de Estado, a estratégia da elite americana sempre foi a de enganar e manipular sua própria população – ou, como diz sua elite funcional encarregada desse trabalho, "fabricar consenso".

A "fabricação de consenso" – eufemismo para a manipulação deliberada das massas contra seus melhores interesses – vai exigir uma divisão de trabalho e uma segmentação estrutural e institucional nova no campo da dominação simbólica. Seus operadores vão agir numa dimensão menos abstrata que o nível científico, ainda que em estreita relação de influência e cooperação recíprocas com a ciência hegemônica. Eles irão atuar como conselheiros diretos de endinheirados e poderosos nas agências de propaganda e de governo que serão criadas tanto no mercado quanto no aparelho de Estado.

Esse nível intermediário é típico da elite funcional do mercado e do Estado, que lida com conhecimento prático e imediatamente aplicável para a resolução de problemas concretos advindos da dominação social e política. Ele está tão ligado à imprensa que perceber as fronteiras entre essas atividades é difícil. Tanto que, como veremos, suas figuras centrais são muitas vezes também jornalistas e articulistas de renome, de forma que a relação com a imprensa é percebida como componente indissociável de sua atividade. Assim sendo, trataremos dessas duas formas de produção do consentimento, realizadas tanto pela elite funcional do mercado e do Estado quanto pela imprensa dominante, como duas atividades combinadas e indissociáveis.

A arquitetura institucional do que estamos chamando de campo de dominação simbólica se reproduz numa estrutura tripartite. Sua dimensão de maior grau de abstração e, ao menos aparentemente, de maior autonomia relativa é a produção da ciência hegemônica, em universidades, *think tanks* e centros de pesquisa. Em seguida temos o pessoal com a "mão na massa", os operadores da "fabricação do consentimento" nas trincheiras do mercado e do Estado. A seguir, em íntima relação com os operadores, o papel da imprensa comercial na produção manipulada, a partir de cima, da opinião pública respeitável dominante. Esse é o desenho estrutural e institucional da indústria de produção de violência simbólica e consentimento. Essa estrutura institucional começa a ser produzida no começo do século XX como resposta à questão premente do controle das massas pela elite capitalista.

No mundo inteiro, a partir da segunda metade do século XIX, ganha força a interpretação da crescente reação política das classes populares contra a ordem estabelecida como uma oposição do "caos" à "ordem". Essa ideia havia se tornado um eixo central do pensamento conservador e elitista como reação à entrada dos trabalhadores organizados na esfera pública e na cena política. Predecessores da psicologia social, como os franceses Gustave Le Bon e Gabriel Tarde, defendiam o caráter ilógico e irracional do pensamento humano, muito especialmente das multidões e dos grandes grupos. O pensamento elitista dos italianos Gaetano Mosca e Vilfredo Pareto trabalhava com pressupostos semelhantes.

Nos Estados Unidos, a figura central nesse contexto foi também um intelectual, nesse caso um "intelectual prático", um escritor e jornalista, poderoso e eminente, conhecido conselheiro de presidentes e da elite funcional americana do início do século XX: Walter Lippmann. Vemos nele a vinculação, a partir daí indissociável, entre "elite funcional" e imprensa comercial. Lippmann, antes um socialista, passou a defender a ideia de que uma verdadeira democracia baseada na soberania popular era impossível. Por conta disso, era necessário que uma casta de pessoas "educadas e responsáveis" assumisse o controle da sociedade.

Mas Lippmann não ficou apenas na exortação à necessidade de o povo ser guiado pelos mais "aptos e inteligentes". Ele escreveu um dos livros mais influentes do século XX no campo da psicologia social e da arte de "fabricar consentimento": *The Public Opinion* (A opinião pública), publicado em 1922.[34] Nessa obra, Lippmann analisa as razões da carência cognitiva da maioria das pessoas e, portanto, a necessidade de serem conduzidas por uma elite "esclarecida". Ele defende que a maior parte da população é, por carência de educação e raciocínio, guiada por "pseudoambientes" (*pseudo-environments*) e por estereótipos, que são construções coladas à sua experiência prática e cotidiana, percepções fixas e imagéticas que guiam as ações das pessoas e que elas carregam ao longo da vida. O não acesso à educação e à crítica consciente implica a reprodução inconsciente dessas falsas percepções do mundo, as quais, por seu conteúdo afetivo, provocam sempre forte reação quando contestadas.

Para Lippmann, o desenvolvimento da nova psicologia e a descoberta das regras de funcionamento do inconsciente e da mente humana abriam oportunidades inauditas para a condução do "rebanho popular" precisamente através da manipulação de seus estereótipos pela classe "esclarecida e responsável". Quando o presidente americano Woodrow Wilson se defrontou com o desafio de convencer o povo americano, até então profundamente pacifista, contradizendo sua promessa de campanha, a entrar na Primeira Guerra Mundial, foi Walter Lippmann quem o aconselhou a criar uma agência de propaganda para alcançar esse objetivo.

O extraordinário sucesso do *Creel Committee*, a agência de propaganda do governo Wilson, que em seis meses conseguiu transformar uma nação de pacifistas em fanáticos belicistas, encantou a elite americana. Na base da campanha estava a manipulação do medo da população, alcançada por meio de relatos mentirosos em filmes montados pela propaganda inglesa para inspirar ódio aos alemães como assassinos de crianças e torturadores impiedosos. Além disso, as grandes personalidades e os atores mais populares da nascente Hollywood foram chamados para exortar o apoio do grande público. A campanha teve tanto sucesso que as orquestras americanas deixaram de tocar Beethoven com medo de represálias. Pela primeira vez, o uso consciente da propaganda como arma política havia mostrado como o povo poderia ser manipulado a partir de cima como marionetes.

Esse fato marca um divisor de águas de fundamental importância histórica na forma como a dominação social e política passou a ser exercida nos Estados Unidos e no mundo. A elite econômica e política americana havia acabado de descobrir uma arma letal contra seu principal inimigo doméstico: o próprio povo trabalhador. A partir daí, o trabalho de dominação social passou a utilizar cada vez menos a violência física e policial, e cada vez mais a violência simbólica da manipulação consciente dos medos e ansiedades do público. Podemos testemunhar essa transformação fundamental, inclusive com seu uso contra a população dos países colonizados pelo imperialismo informal americano, na produção intelectual de apenas um indivíduo.

No *Creel Committee* de Wilson trabalhava um jovem, na época com apenas 26 anos, que viria a desenvolver como nenhum outro o alcance prático das ideias de Walter Lippmann. Edward Bernays, duplamente sobrinho de Sigmund Freud, havia se acostumado desde a infância a ouvir histórias sobre a importância e o poder da vida inconsciente, com suas ilusões, regressões e repressões. Ao contrário do tio, preocupado em compreender a vida inconsciente para ampliar o controle consciente do indivíduo sobre si mesmo, o sobrinho se encantava com as possibilidades de manipulação do inconsciente individual e coletivo para a fundação de um novo ramo de negócios: o de conselheiro de relações públicas de empresas e partidos políticos. Nasciam a publicidade e a propaganda modernas. Seu serviço aos poderosos e endinheirados seria precisamente o que Lippmann havia chamado de "fabricação do consentimento".

Em seu primeiro livro de grande sucesso, intitulado *Crystallizing*

Public Opinion[35] (A cristalização da opinião pública) e publicado apenas um ano depois do livro clássico de Walter Lippmann, Bernays lança as bases de sua nova ciência para fabricar consentimento entre as grandes massas. A partir de sua experiência no *Creel Committee*, Bernays adapta os novos métodos ao mundo dos negócios em geral. Para ganhar respeitabilidade para a nova "ciência", o autor evoca conceitos das ciências naturais como o da "cristalização", retirado da química, que faz parte do título do livro, como de resto haviam feito vários outros pioneiros das ciências sociais antes dele.

Os trabalhos clássicos de psicologia social de Gustave Le Bon e Gabriel Tarde são referências óbvias e permitem antever a união do trabalho de relações públicas de Bernays com o trabalho da imprensa como principal instância de distribuição e divulgação do consentimento fabricado. Le Bon, que havia conseguido extraordinário sucesso junto às elites ocidentais com seu livro *Psicologia das multidões*,[36] temia o efeito deletério das multidões – ou seja, das massas populares – sobre as hierarquias consagradas da "ordem social". Para ele, como para Lippmann e todos os fabricantes de consentimento, o pensamento das massas é ilógico, primitivo e eivado de ilusões.

São essas ilusões que ele vê como instrumento no controle do "perigo popular". É preciso conhecê-las para guiá-las na direção certa e conveniente. É ele o pioneiro da ideia que aponta a necessidade de uma "aristocracia intelectual" para manipular as ilusões das massas num sentido adequado. Gabriel Tarde, seu amigo, evoca a importância da imprensa e das agências de informação como os canais adequados para a produção de um pensamento homogêneo a ser imposto ao público. Essas são ideias seminais para Bernays e para todas as relações públicas e os fabricantes de consentimento. Uma estreita relação com a imprensa e com os canais de comunicação passa a ser um pressuposto do sucesso na produção do consentimento. Mas nenhuma influência é mais forte que a de Walter Lippmann. Bernays chega a definir o seu próprio trabalho como a "produção de novos estereótipos" no sentido definido por Lippmann.

A partir daí, Bernays coleciona um sucesso atrás do outro. Seus conselhos agora se dirigem à nata da classe capitalista americana, que compreende rapidamente sua eficácia. Afinal, a consequência de seu "desprezo" pelo público e pelos trabalhadores, que era o seu sentimento de classe mais espontâneo e nativo e implicava violenta repressão policial, havia sido a origem do ódio público aberto contra os plutocratas. A elite endinheirada americana aprende que é mais vantajoso atrair a simpatia das massas antes odiadas e desprezadas. O produto do desprezo eram a luta de classes como uma ferida aberta, greves e o ódio do povo aos plutocratas, percebidos como inimigos.

Assim como haviam mudado de opinião sobre a guerra em tão pouco tempo, os americanos também poderiam, pela manipulação de sua capacidade de reflexão no contexto de uma esfera pública supostamente livre – que é o pressuposto estrutural da produção do consentimento –, passar a amar os ricos que antes odiavam. Duas estratégias são construídas para esse fim. Primeiro surge a ideia de que a extrema riqueza de alguns poucos é uma coisa boa para todo mundo. Assim, figuras odiadas como John D. Rockefeller se transformam da noite para o dia em filantropos amados.

Uma pequena parte das grandes fortunas passa a ser utilizada para criar fundações com nomes de bilionários e investir em causas humanitárias. Na outra ponta, e com sucesso inaudito, transforma-se o cidadão em consumidor. Desse modo, dadas certas precondições, pode-se esvaziar todo o potencial emancipador e crítico de uma população direcionando sistematicamente seus desejos de modo a fazê-los coincidir com a oferta de bens materiais. A precondição principal é que toda a imprensa, toda a indústria cultural e de entretenimento, além das figuras mais carismáticas e desejadas do público, ajam de modo unificado e concertado com um único objetivo, sob a batuta do conselheiro de relações públicas.

Edward Bernays vai prefigurar, na sua pessoa individual, todo um ramo da indústria da propaganda e das relações públicas que iria lograr posicionar o capitalismo e sua produção de mercadorias na instância do desejo e das aspirações inconscientes da população, primeiro nos Estados Unidos e depois no mundo. O objetivo aqui é o de transformar mercadorias materiais em desejo, sonho, estilo de vida e esperança. Existe apenas um "caminho da salvação" para o sucesso e a boa vida, e o capitalismo, o consumo, o luxo e o dinheiro são a única "salvação real". A ideia é transformar o capitalismo, de mera forma específica de produção material, em uma verdadeira religião, colonizando no nascedouro todos os sonhos e toda a pluralidade da vida em favor da ortodoxia do consumo.

Edward Bernays vai mostrar o caminho como nenhum outro. Quando a maior empresa americana do ramo alimentício, a Beech-Nut, o contrata para anunciar seu bacon, Bernays não vende apenas a marca. Ele quer aumentar exponencialmente o mercado de bacon em geral. Percebendo o poder e o prestígio da ciência, ele recobre o produto a ser vendido com a aura do conhecimento científico. Bernays consegue que mais de 4 mil médicos em todo o país confirmem a necessidade de um café da manhã vigoroso com ovos e bacon para iniciar bem o dia. Esse acontecimento cria o mais típico café da manhã americano da noite para o dia e aumenta o consumo de bacon não apenas para seu anunciante, mas para todos os produtores. Entrevistado sobre o sucesso de sua campanha, Bernays responde: "Mesmo que você não goste de bacon, se o seu médico o aconselhar, você irá comer, gostando ou não." A partir daí, a classe médica se torna um suporte essencial de campanhas publicitárias para os mais variados produtos – tenham ou não relação verdadeira com a saúde dos pacientes.

Outro grande sucesso de Bernays mostra como o consumo é capaz de colonizar pautas libertárias e políticas. As grandes companhias americanas de cigarros tinham um acesso muito limitado a 50% do seu potencial público consumidor: as mulheres. O cigarro era visto como um hábito masculino e as mulheres que fumavam não eram bem-vistas socialmente. No espaço público, vigorava uma proibição prática ao fumo feminino. A Tobacco Company, que produzia os cigarros Lucky Strike, contratou Bernays para resolver o problema. Bernays se informou com seguidores de seu tio, Freud, acerca do significado do cigarro para as mulheres. Eles lhe disseram: "O cigarro é como um pênis, e toda mulher deseja um pênis." Se você puder lhes dar um, mesmo que apenas simbólico, será um grande sucesso.

Bernays teve então a ideia de associar o fumo feminino à luta das mulheres pelo sufrágio universal. Desde 1919, as mulheres americanas estavam empenhadas nessa luta. No dia do tradicional desfile de Páscoa de Nova York, em 1929, Bernays teve a ideia de convidar mulheres importantes e lhes propor que participassem do evento e usassem os cigarros como meio de propaganda para a causa sufragista, sem revelar que seu verdadeiro objetivo era vender cigarros. No dia do desfile, as mulheres mais importantes dos Estados Unidos carregavam os cigarros acesos que Bernays havia chamado de "tochas da liberdade", associando o uso do cigarro à luta pela liberdade feminina. Para garantir o sucesso da iniciativa, Bernays convidou todos os grandes fotógrafos dos maiores jornais mundiais para testemunhar o evento. No dia seguinte, todas as manchetes tratavam do assunto. O prestigioso *The New York Times* lhe dedicou a primeira página como se se tratasse de uma questão política real. Em poucas semanas, as salas de cinema de todo o país abriam salas de fumo também para as mulheres e a campanha se tornou um sucesso estrondoso.

A relação com a imprensa se tornou vital para a propaganda e as relações públicas corporativas ou partidárias. Bernays alugou uma suíte num grande hotel de Nova York, onde recebia praticamente todas as noites as grandes figuras do empresariado, do show business e da imprensa. Mas ele não "comprou" a imprensa simplesmente. Ele aprendeu que é mais eficaz "criar" a notícia, como no caso das "tochas da liberdade", quando uma única "ação" – um dos lemas de Bernays é que as ações são mais importantes que as palavras – mudou todo um comportamento social antes rígido e verdadeiro tabu.

A atuação de Bernays mostra a todos que a propaganda pode conduzir a opinião pública por meio de símbolos e ideias do mesmo modo que um comandante militar comanda seus soldados fisicamente por meio de ordens. Precisamente como Walter Lippmann havia imaginado, a propaganda bem construída pode criar novos "estereótipos de comportamento" que guiam de forma inconsciente e pré-reflexiva – ou seja, sem defesa consciente possível – o comportamento do grande público. Pode-se dizer o que se deve comer de manhã e como suas aspirações políticas podem ser representadas por hábitos de consumo. Aqui se prenuncia a capacidade antropofágica do capitalismo de engolir e mastigar a crítica, potencialmente dirigida contra ele mesmo, e digeri-la para depois cuspi-la sob a forma de novos hábitos de consumo.

O capitalismo, muito especialmente o americano, aprende que a ciência, as ideias, a arte e a imaginação – as matérias-primas da esfera simbólica – podem ser os aspectos principais para sua perpetuação e sua capacidade de "convencimento" do público, mesmo dos que são economicamente explorados por essa mesma ordem. Desde que atuando em conjunto e de modo coordenado, a esfera simbólica das sociedades modernas pode se tornar, ao mesmo tempo, uma fábrica de novos negócios e uma fábrica de consentimento. Para esse fim, as etapas na cadeia produtiva de bens simbólicos devem atuar em uníssono: 1) a ciência, com seu prestígio de instância que cuida da verdade, formando todas as elites mundiais de acordo com um paradigma veladamente racista e comum; 2) a indústria cultural e de entretenimento, desenvolvendo fórmulas escapistas e conformistas de expressão artística em escala mundial; e, por fim, mas não menos importante, 3) a esfera da propaganda e da imprensa comercial colonizando os sonhos e ansiedades das pessoas de modo a transformá-las em consumidores dóceis e manipulados.

A ideia-força que serve como fundamento implícito de toda essa estrutura simbólica era a velha ideia de Walter Lippmann de que as massas são inaptas a pensar por si mesmas. Essa era uma noção que ele professava com certa melancolia e dor, como quem lamentasse que assim fosse. Bernays, nesse sentido, é não apenas o pioneiro de uma nova espécie de capitalismo baseada na produção do consentimento por meio da manipulação consciente, mas também de um novo tipo humano da "elite funcional" do capital. Ao contrário de Lippmann, ele possui o cinismo típico de quem sabe exatamente o que faz e tem orgulho e vaidade do trabalho de manipulação bem realizado. Exatamente como o tipo social que passaremos a encontrar a partir de então tanto no mundo financeiro quanto no mundo político e no complexo propaganda/imprensa.

Também nesse sentido Bernays é um pioneiro. Ele antecipa um *habitus*, ou seja, uma forma de ser, sentir e ver o mundo de maneira peculiar e compartilhada, que se tornaria o modo de ser específico da nova elite funcional do capitalismo em todo o mundo. A "elite do cinismo" que irá comandar a política e os negócios americanos encontra nesse *habitus* compartilhado o segredo do perfeito entendimento que sequer precisa ser mediado por palavras. Como veremos, é essa identidade afetiva profunda e compartilhada que tornará possíveis também as alianças imediatas de aventureiros de países periféricos como Bolsonaro, Moro e Guedes com a elite metropolitana americana. Um tipo de comunicação baseado na espoliação dos "feitos de tolos" em todas as esferas da vida em escala mundial.

Isso fica claro no episódio que nos conta Stuart Ewen, estudioso da obra de Bernays, quando de uma entrevista pessoal com o já quase centenário Bernays.[37] A propósito de uma conversa banal sobre quão caro custavam os táxis nos Estados Unidos, Bernays se vangloria a Ewen do fato de haver explorado por anos a fio um chofer a quem ele chamava de Dumb Jack (algo como João Bobo em tradução livre), que começava a trabalhar às cinco da manhã e só parava às nove da noite, com apenas meio dia de folga às quintas-feiras de quinze em quinze dias. Bernays dizia, em tom de piada, que sempre via Dumb Jack tirar uma soneca rápida na cozinha, sentado na cadeira apoiando a cabeça sobre a mão espalmada na mesa, depois do dia estafante de trabalho levando o casal Bernays para compromissos de trabalho e as filhas à escola. E isso tudo por apenas 35 dólares por semana, muito mais barato do que se utilizasse táxis para o serviço. Por conta disso, Bernays não havia sequer aprendido a dirigir.

Ele sempre falava de democracia em seus discursos e entrevistas. Dizia, inclusive, que a fala que sempre inspirou seu trabalho tinha sido a afirmação de Thomas Jefferson de que, na democracia, tudo dependia do "consentimento do povo". O problema era que Bernays via o "povo" do mesmo jeito que via Dumb Jack: uma gentinha sem noção de coisa alguma sobre o mundo, destinada a consumir o monte de "estereótipos", aparência e dissimulação que gente como Bernays lhes vendia – o "consentimento fabricado". Bernays jogava com a ambiguidade da palavra "consentimento" quando se referia a

Jefferson, já que ele poderia significar tanto o consenso produzido racionalmente, a partir de um esclarecimento baseado em argumentos, quanto o produzido de modo falacioso e manipulado. O processo para Bernays não era importante, mas apenas o resultado: a conformidade e a aceitação do consenso fabricado.

O que está por trás do consenso fabricado é a crença na desigualdade visceral da humanidade, como se fosse inevitável uma hierarquia entre os espertos manipuladores que mandam e os Dumb Jacks que obedecem. Mas o próprio pressuposto de Bernays e de Walter Lippmann da inevitabilidade da tolice das massas esconde uma falácia. É certo que um povo que não é estimulado a pensar e a refletir com autonomia será presa fácil da manipulação de suas próprias ilusões. Nem todo mundo nasce, como Bernays, num contexto familiar em que se discute ciência psicanalítica de vanguarda à mesa do café da manhã, no qual existe, portanto, desde o berço, estímulo ao pensamento abstrato, à imaginação, e se forjam, de "modo natural", mentes especulativas. A naturalização de privilégios sociais desde a infância, que são depois travestidos de "mérito pessoal", é a base desse desprezo aos Dumb Jacks.

Coube a Franklin Delano Roosevelt, certamente uma das grandes figuras humanas e políticas do século XX, demonstrar que o nível de racionalidade das massas depende, antes de tudo, de se criarem as precondições objetivas para uma esfera pública argumentativa. Ainda que tenha utilizado todas as novas técnicas do ramo das relações públicas para si mesmo, como a prática dos acenos joviais ao público e o cultivo da imagem de homem de família, ele não ficou apenas nisso. Roosevelt criou também um programa de rádio famoso nos Estados Unidos que durou mais de dez anos, as *fire side chats* – ou "conversas ao pé da lareira" –, nas quais, em linguagem acessível, se dirigia ao povo americano e tratava de questões complexas, em pé de igualdade, se utilizando de argumentos racionais e respeitando a inteligência de seus concidadãos. Sua extraordinária popularidade mostra que a política de massas não está condenada à manipulação dos afetos e da emoção irracional que leva à dissimulação e ao engodo. Mas Roosevelt, e tudo que seu governo representou, permaneceu e ainda permanece uma exceção na política americana. O "consentimento fabricado" passou a ser a regra de ouro da política. E isso não apenas nos assuntos internos.

Em sua longa vida, Bernays ainda teve tempo de prefigurar o modus operandi dos golpes de Estado patrocinados pela CIA e pelo governo americano na América Latina (e depois no mundo todo) a partir de então. Quando, em 1951, o presidente democraticamente eleito da Guatemala Jacobo Arbenz decidiu fazer uma reforma agrária, ainda que prevendo o pagamento pelas terras desapropriadas em benefício dos camponeses pobres e sem terras, esbarrou em férrea oposição. A United Fruits, grande multinacional americana de frutas tropicais, era dona de 75% das terras da Guatemala e contratou Edward Bernays para criar uma campanha publicitária contra o governo guatemalteco. Bernays se superou nesse trabalho. Usando uma lista de jornalistas influentes ao redor de todo o país construída nos quarenta anos anteriores, ele montou um clima de guerra psicológica no país por meio do que chamava de "mídia blitz". O "mídia blitz" – uma citação explícita da *Blitzkrieg* nazista – significava a criação de uma agência de notícias, secretamente financiada pela United Fruits, com notícias para toda a imprensa americana de todos os lugares apenas sobre a suposta e falsa ameaça comunista na Guatemala.

A guerra psicológica visava associar, erroneamente, a reforma agrária de Jacobo ao comunismo, se aproveitando do clima de "caça às bruxas" que havia se instalado no país a partir do fim da Segunda

Guerra Mundial. Vários dos jornalistas municiados por Bernays se sentiram depois enganados por notícias falsas e manipuladas. Era tarde demais para os guatemaltecos. Como resultado da campanha difamatória, o governo americano decidiu intervir na Guatemala e apoiar um golpe de Estado com apoio da CIA contra o governo eleito democraticamente. Como resultado, Castillo Armas, uma marionete americana, assumiu o poder e jogou o antes pacífico país centro-americano numa guerra civil que duraria 40 anos e custaria mais de 100 mil mortos.

A guerra híbrida: ideias envenenadas e juízes corruptos no lugar de bombas e balas

Não obstante seu resultado desastroso para a Guatemala e seu povo, a tática de Bernays se tornou o novo paradigma das intervenções americanas nas áreas de influência onde suas empresas têm interesses. Esse é, afinal, o DNA do imperialismo informal americano. O amálgama entre o interesse comercial de suas empresas e a atuação do Estado americano passa a ser indissociável. Onde quer que haja interesse das empresas americanas em se apropriar da riqueza de outros povos, o "consentimento produzido" se unirá à ação do *deep state*, da CIA e, eventualmente, do poderio militar para subjugar povos e sociedades inteiras.

Depois de haver domesticado o próprio povo, a elite dos negócios passa a utilizar a produção do consentimento em escala global e em todos os níveis. É nesse mesmo momento do pós-guerra que o Departamento de Estado financia regiamente a difusão mundial do culturalismo da teoria da modernização americana. Da América Latina à Ásia, os estudantes devem aprender a "ciência" que ajuda a explicar as razões que reservam aos Estados Unidos o status de "povo eleito" do protestantismo ascético: inteligente, democrático e "honesto". A tese do "excepcionalismo americano" passa a ser um tema recorrente na literatura científica, justificando o status quo tanto dentro quanto fora do império.

Na dimensão da cultura de massas, a indústria cultural americana, que domina o cinema, a produção de séries de televisão para o mundo inteiro, a música e toda a indústria do entretenimento e da diversão, deve, sub-repticiamente, duplicar e reforçar sempre a mesma mensagem. Países como o Brasil vão espelhar esse padrão de dominação cultural total tão perfeitamente que sua elite passa a se imaginar americana e a adotar a mesma visão de mundo. A elite paulistana, a mais forte e importante do país, como refletida na autoimagem construída por seus intelectuais orgânicos, demonstra esse fato sobejamente. Mas e se, ainda assim, os povos culturalmente colonizados teimarem em desenvolver esse estranho pendor para querer utilizar suas riquezas em favor do próprio povo? Bernays ensinou o que fazer. Em seu estudo sobre as "revoluções coloridas" apoiadas nos últimos anos pelos Estados Unidos ao redor do mundo, o escritor americano Andrew Korybko começa por reconhecer a decisiva influência dos métodos de produção do consentimento de Edward Bernays sobre o pensamento militar e estratégico do *deep state* americano.[38]

Como Bernays havia demonstrado em *Propaganda*, a psicologia de massas atestara as potencialidades do controle invisível da população por parte da aristocracia do poder a partir da manipulação dos motivos inconscientes que regem a ação do homem na multidão. Se foi possível manipular o próprio povo americano e levá-lo a apoiar a destruição de um governo democrático, incutindo-lhe um medo infundado só para que a United Fruits mantivesse o monopólio das bananas guatemaltecas, por que não tentar controlar o povo do país alvo? Esse é precisamente o sentido das "revoluções coloridas".

Em um ensaio famoso de 1947, *The Engineering of Consent* (A fabricação do consenso), Bernays defende a tática da "abordagem indireta". Os novos meios de comunicação instantânea – e olha que Bernays ainda não conhecia os Facebooks e WhatsApps da vida – podem funcionar como plataformas de propaganda contra um governo e organizar a ação conjunta de eventuais opositores do regime, ainda que estejam distantes milhares de quilômetros entre si. Essas agências de produção do consentimento devem fabricar notícias artificialmente e produzir eventos imaginativos para angariar adesão à deposição do regime. Algo como o que o próprio Bernays havia feito na deposição do governo da Guatemala. Para reforçar o argumento de que se trata de uma revolta autônoma, deve parecer a todos que as ideias assim produzidas vêm da própria população. A população não deve tomar conhecimento de que está sendo usada. Obviamente, para dar a impressão de apoio espontâneo ao golpe.

Imagino que na consciência da leitora e do leitor brasileiros tenha tocado um sininho, chamando sua atenção para acontecimentos não tão longínquos da realidade brasileira recente, não é mesmo? De fato, a reflexão que estamos desenvolvendo nos permite o acesso à genealogia da "revolução colorida brasileira" de 2013 como antessala dos sucessivos golpes que o país sofreria a seguir, e é fundamental para a compreensão de um novo tipo de ataque americano contra o Brasil. Não nos esqueçamos da sucessão de fatos interessantes anteriores a 2013. Em 2006, o Brasil descobre o pré-sal, uma das maiores reservas de petróleo do planeta, e já começa a explorá-lo efetivamente a partir de 2008. O marco regulatório do pré-sal prevê um forte controle da Petrobras sobre todas as fases da produção. Em 2012, a presidenta Dilma lança sua ofensiva, respaldada no poderio dos bancos públicos brasileiros, para baixar os juros abusivos, onze vezes maiores que os juros praticados na França, ameaçando a "mamata" dos representantes do capitalismo financeiro americano no Brasil. Foi também nessa época que começou a ser gestado o banco do BRICS como principal estratégia para romper o controle absoluto da economia mundial pelo capital financeiro americano.

Setenta anos depois de Getúlio Vargas, o Brasil tenta mais uma vez conquistar um pouco de autonomia e desenvolvimento, unindo-se a outras potências rivais do império americano. Uma afronta ao *deep state* americano, que funciona como representante da elite americana e considera o Brasil – e a América Latina como um todo – um satélite que deve ser mantido submisso e oprimido. É nesse contexto que, na esteira da Primavera Árabe, ocorrem as chamadas Jornadas de Junho, em 2013, no Brasil. Esse é o início da revolução colorida, que dá ensejo ao golpe de 2016 e à operação Lava Jato, levando à derrocada do PT, à prisão ilegal de Lula e à consequente eleição do "lambe-botas" de Trump, Jair Bolsonaro, ao poder.

Para entendermos essa história, é fundamental estabelecer a conexão entre a "produção do consentimento" de Bernays e o conceito de "guerra híbrida" utilizado por Korybko. O termo "guerra híbrida" se refere a um desdobramento da estratégia de guerra indireta por parte dos Estados Unidos. Trata-se de mais um meio de dominação geopolítica num mundo que caminha para um novo contexto de multipolaridade. Ainda que os Estados Unidos sejam a maior potência militar do globo em termos de armas convencionais, a paridade nuclear com a Rússia mostra que a capacidade de ditar unilateralmente as regras para o planeta inteiro, em virtude de seu poderio militar, tem seus limites. Além disso, os custos de uma guerra tradicional, inclusive de seus efeitos colaterais, envolvem riscos que são muito altos para os tomadores de decisões.

Assim, Korybko mostra em seu livro, de modo convincente, como se desenvolveu, nas últimas décadas, no contexto do pensamento militar e estratégico norte-americano, toda uma teoria acerca da "guerra indireta", como um desdobramento direto das técnicas da produção do consentimento utilizadas contra a própria população americana. O aparato estatal da indústria militar e da espionagem americanas, o *deep state* americano, que possui alto grau de independência relativa face à política tradicional, se esforçou por adaptar esses ensinamentos para a troca de regime político em vários países de acordo com o interesse corporativo americano. É a passagem da guerra direta, que envolve invasão de um país soberano, para a guerra indireta, que procura desestabilizar por diversos meios o país em questão. É isso que o autor denomina guerra híbrida. O ataque orquestrado por Bernays à Guatemala seria, portanto, uma forma pioneira de guerra híbrida. Trata-se, aqui, de um cálculo de custo-benefício. Seja do ponto de vista econômico, seja do ponto de vista político, o custo da intervenção indireta é bem menor.

Afinal, é muito melhor desestabilizar um país a distância, sem sequer ser notado, como se se tratasse de uma rebelião espontânea, com a aura de movimento democrático, usando para isso as novas armas da internet, e não mais bombas que matam civis, crianças e mulheres. Esse é o melhor dos mundos para uma potência imperialista, não é mesmo, caro leitor? Por conta disso é tão importante saber como fomos enganados – para evitar que o sejamos mais uma vez no futuro. Korybko constrói seu argumento a partir da análise do pensamento político-militar americano desenvolvido tanto nas grandes universidades americanas quanto em suas corporações militares. Embora tanto as análises teóricas político-militares quanto os exemplos em seu livro se apliquem mais ao contexto do Leste Europeu e da Ásia – o que ele chama de "Eurásia" –, veremos como o desenvolvimento dessa estratégia imperialista americana e sua expansão global acabaram por atingir o Brasil em cheio a partir de

2013. De resto, o próprio Korybko expandiu sua análise ao caso brasileiro posteriormente.[39]

Coube a Zbigniew Brzezinski, um dos mais importantes conselheiros do presidente Jimmy Carter, reunir e consolidar uma série de reflexões anteriores relativas à importância da Eurásia para qualquer estratégia de dominação global americana. Brzezinski cunha a expressão "Bálcãs eurasiáticos" para se referir aos Estados periféricos do Leste Europeu e do Sul da Ásia como um caldeirão étnico com histórico de inimizades seculares, os quais poderiam ser utilizados pelos Estados Unidos para desestabilizar permanentemente primeiro a União Soviética e depois a Rússia.

A instabilidade permanente em sua zona fronteiriça e periférica levaria a Rússia ao desequilíbrio e à consequente incapacidade de impedir os planos hegemônicos dos Estados Unidos na região e no mundo. Obviamente, se o caos provocado pudesse avançar na própria Rússia, tanto melhor. Embora o interesse central de Korybko seja explicar as guerras recentes na Ucrânia e na Síria, sua reflexão fundamental, desde que continuada e aprofundada, é também essencial para se perceber o que aconteceu e continua acontecendo no Brasil e em vários países hoje em dia – naquilo que os americanos consideram o seu "quintal", como a Venezuela e o Brasil. É a isso que Korybko chama de guerra híbrida e que tem extraordinária importância para a compreensão do mundo contemporâneo e de suas mazelas.

A guerra híbrida tem duas fases distintas. A primeira é a desestabilização do regime que os interesses geopolíticos americanos desejam derrubar. A segunda fase, que pode ou não se fazer necessária, tem a ver com o confronto direto. A guerra híbrida mostra uma espécie de imbricação inextricável entre serviço secreto e de inteligência e aparato militar clássico. Esses dois elementos, antes separados, agora fazem parte de um contínuo e de uma única estratégia. Mas por que, nos casos da Ucrânia, da Síria e da atual ameaça explícita à Venezuela, o segundo estágio, de guerra direta, chegou a entrar em uso ou foi cogitado e, no Brasil, esse passo não foi sequer necessário?

Central para o nosso argumento neste livro é o fato de que, no caso do Brasil, a formação da identidade nacional do brasileiro como "vira-lata", percebido como inferior e corrupto como traço cultural, permitiu mais uma vez uma guerra indireta bem-sucedida contra seu próprio povo. Um povo "vira-lata", sem autoestima, que é contraposto precisamente ao americano – tido como superior e pretensamente mais "honesto", como nos ensinam nossos intelectuais mais respeitados tanto pela direita quanto pela "esquerda" –, é um povo indefeso por definição. Uma perspectiva que é, em primeira linha, apoiada pela própria elite colonizada e por sua imprensa permitiu uma guerra indireta tão eficaz contra a própria população que não houve necessidade de qualquer confronto militar real. Isso significa que a elite brasileira e sua "boca", a imprensa venal, participam da guerra de espoliação contra seu próprio povo – a mesma praticada por uma potência imperialista e predadora.

Os Estados Unidos não precisam sequer ameaçar invadir o Brasil, porque a elite econômica brasileira e sua imprensa comprada já são seu exército de ocupação. Isso tudo sem qualquer custo para o contribuinte americano. No entanto, para analisar essa extraordinária comunhão de interesses, é necessário examinar essa mudança de estratégia por parte dos Estados Unidos. Durante décadas foi urdido e fomentado nas principais universidades americanas e nos principais institutos de defesa daquele país um conceito ardiloso de "guerra indireta". A guerra indireta passa a envolver muito menos a noção de confrontação explícita, em favor de uma abordagem que favorece o caos social voluntariamente produzido como arma.

Obviamente, as duas estratégias sempre conviveram em

qualquer conflito internacional. Mais ainda. A guerra psicológica é utilizada como parte da guerra convencional desde tempos imemoriais. A novidade é que os Estados Unidos a transformaram numa ciência tão importante e mortal que a guerra convencional passou a ser um recurso pouco provável de última instância. Aliás, o investimento na primeira forma de guerra, a psicológica, passa a ser inversamente proporcional aos investimentos na segunda forma, do arsenal bélico. É esse fato fundamental que tem que ser compreendido e combinado com a "ciência racista", que analisamos mais atrás, também fomentada pelo Departamento de Estado para legitimar o imperialismo informal americano.

Assim sendo, a principal linha de pensamento geopolítico e militar desenvolvida nos Estados Unidos, que nos interessa de perto, é a "estratégia da abordagem indireta", prenunciada por Bernays e desenvolvida em 1954 por B. H. Liddell Hart.[40] A principal observação de Hart é que o ataque psicológico e físico direto ao inimigo tende a produzir – e realmente produz – resultados negativos. Assim, a estratégia mais inteligente de guerra é aquela que permitiria abordar o alvo por métodos indiretos e inesperados. Como a perturbação do equilíbrio psicológico e físico do inimigo é o prelúdio vital para a vitória militar, essa perturbação pode ser produzida com melhor resultado por meios indiretos, sejam intencionais ou acidentais, podendo assumir as mais variadas formas.[41]

Outro estrategista militar americano, William Lind, desenvolve e aprofunda em 1989 a estratégia de abordagem indireta como o fundamento do que ele chama de "guerras de quarta geração". Essas guerras seriam mais fluidas, descentralizadas e assimétricas que as do passado. Mais importante ainda: seriam confrontos com maior ênfase na guerra de informação e em "operações psicológicas". Lind define do seguinte modo o que entende por "operações psicológicas":

> *As operações psicológicas podem se tornar a arma operacional e estratégica dominante, assumindo a forma de intervenção midiática/informativa. [...] O principal alvo a atacar será o apoio da população do inimigo ao próprio governo e à guerra. As notícias televisionadas se tornarão uma arma operacional mais poderosa do que as divisões armadas.*[42]

A propaganda, ou, como diria Pierre Bourdieu, a violência simbólica, substituindo a violência material, passa a ser a arma mais letal contra o inimigo a ser abatido. Vemos que Lind não podia ainda imaginar como as redes sociais iriam transformar e aprofundar esse quadro sinistro de capitalismo de vigilância e manipulação de dados e informações individuais. Ele trabalhava ainda com a hipótese da mentira televisionada, confiando na articulação das elites econômicas periféricas com a imprensa venal. As redes sociais são, no entanto, muito mais perigosas e insidiosas que a televisão, como iremos discutir em breve.

De modo também muito visionário, Lind prevê que a própria distinção fundamental entre "civil" e "militar", nas novas guerras de quarta geração – nas guerras psicológicas e nas "revoluções coloridas"–, tenderia a desaparecer, com civis exercendo, de modo consciente ou não, funções militares. Como deixar de lembrar o papel de um Sergio Moro, um civil, blindado e cevado pela imprensa, que talvez tenha causado mais danos à economia e à democracia brasileira, por meios supostamente pacíficos e jurídicos, do que qualquer guerra convencional que um inimigo externo se utilizando de bombas poderia causar? O novo tipo de guerra imperialista se refina a ponto de tornar quase impossível que se perceba quem integra as fileiras no exército inimigo. O que importa é o resultado final, a troca de regime por alguém subordinado aos interesses americanos. E jamais houve no mundo um dirigente tão subordinado e capacho dos americanos do que Bolsonaro. A guerra híbrida torna impreciso e nebuloso quem é o combatente inimigo e ele pode assumir precisamente a forma do suposto combatente pela moralidade pública e pelo bem comum, como no Brasil temos os casos de Sergio Moro e Deltan Dallagnol. É isso que torna essa guerra tão assimétrica e difícil de ser combatida.

Um desenvolvimento ulterior da base teórica da guerra híbrida foi empreendido por Steven Mann, com a publicação, em 1992, de "Caos Theory and Strategic Thought" (Teoria do caos e pensamento estratégico). Nesse ensaio, Mann tenta fundir esses dois conceitos aparentemente tão díspares. Ele parte do princípio de que o caos pode ser produzido a partir de algumas poucas variáveis iniciais, no sentido de "criar estratégias que promovam nossos interesses".[43] Essas estratégias envolvem o conhecimento das seguintes variáveis: 1) formato inicial do sistema, 2) estrutura subjacente do sistema, 3) coesão entre os atores, 4) energia de conflito dos atores individuais. Essas variáveis, nota Korybko, são tão importantes para o sucesso de uma revolução colorida quanto o são para uma guerra. E Korybko acrescenta, chamando a atenção para um ponto de extraordinária importância para o estudo do caso brasileiro: o formato da "situação inicial" no país alvo que cabe desestabilizar, segundo o esquema de Mann, é tão importante e decisivo quanto a infraestrutura física e militar em uma situação de guerra. O mesmo se aplica às duas variáveis seguintes. Não custa lembrar que a "situação inicial" da revolução colorida brasileira foi a disseminação sob todas as formas institucionais e práticas do "vira-latismo" disfarçado de "identidade nacional". Um povo de vira-latas, que se acredita inferior e corrupto de nascença, é importante para a elite, sempre vale repetir, porque um povo sem autoestima é mais fácil de ser manipulado e feito de tolo.

Mais interessante ainda é a definição da última variável: a "energia de conflito" dos atores individuais. Mann defende que, para mudar a energia de conflito das pessoas, temos que modificar o seu "software". E acrescenta ainda: "Como os hackers nos ensinaram, a forma mais agressiva para modificar um 'software' é usando um vírus, e o que é a ideologia senão um vírus de 'software' para seres humanos?"[44] Estamos claramente lidando com uma estratégia de guerra de novo tipo, que, para conquistar um país a partir de dentro, utiliza suas próprias contradições e seus conflitos para destruí-lo ou enfraquecê-lo. É claro que toda essa literatura se baseia no pressuposto, obviamente nunca comprovado, de que os americanos estão sempre defendendo a pluralidade democrática e os direitos humanos individuais. Seus esforços estariam sempre voltados para a defesa desses valores abstratos, nunca para a rapina da riqueza e do trabalho do povo dos outros países via juros abusivos e destruição de sua capacidade produtiva.

Em 2009, William Engdahl publica um livro analisando a nova política de dominação total do Pentágono, que prevê a primazia americana desde a produção de armas convencionais e nucleares até a retórica dos direitos humanos e o domínio das comunicações. No caso brasileiro, a hipocrisia americana contava com o apoio da hipocrisia secular da elite brasileira contra o próprio povo. No ataque à democracia brasileira, a Lava Jato também estaria supostamente apenas combatendo a corrupção para que ela nunca mais voltasse, a não ser que fosse por meio de dinheiro lavado à disposição dos próprios lava-jatistas para financiar seus planos pessoais e políticos, como ficamos sabendo recentemente pela Vaza Jato, não é mesmo, caro leitor e cara leitora?

O importante é perceber que o Brasil e sua elite já haviam desenvolvido o melhor "software" possível para enganar o próprio povo: a corrupção só da política como bode expiatório de todos os males do país, muito especialmente em governos de esquerda que estivessem melhorando a vida do povo. Para Mann, a produção do caos social dependeria, portanto, do código civilizacional/cultural de cada sociedade. A depender desse ponto de partida é que se teria a possibilidade de desenvolver o "vírus" adequado para contaminar os indivíduos, modificando seu "sentimento político" e espalhando uma "epidemia política" de consequências desastrosas para a sociedade e para o sistema que se deveria derrubar. Alguma dúvida, depois de Glenn Greenwald e seu corajoso jornalismo, de que no caso brasileiro a Lava Jato funcionou como o portador desse vírus para contaminar a sociedade brasileira com uma doença tão letal que até hoje ela ainda não se recuperou?

A guerra híbrida foi uma estratégia maquiavélica que os Estados Unidos encontraram para se adaptar, com vantagens comparativas, a um mundo que se torna crescentemente multipolar. Não é por acaso que as estratégias das "revoluções coloridas" comecem a se impor exatamente a partir do instante em que a Rússia recupera seu potencial nuclear e os Estados Unidos ficam impossibilitados de realizar ações unilaterais como as que realizaram no Panamá, no Afeganistão e no Iraque. Na percepção aguda de Korybko sobre o fenômeno, os Estados Unidos são coagidos a abandonar sua posição de "policial do mundo" e substituí-la pela de "mestre de marionetes" das lideranças veladas construídas pelas revoluções coloridas.

Na verdade, essa mudança de estratégia já pode ser sentida na própria distribuição dos gastos de defesa americanos nos últimos anos. O Pentágono está reduzindo o Exército a níveis pré-Segunda Guerra Mundial, enquanto aumenta consideravelmente os recursos para suas forças especiais, inteligência, contratos com firmas militares privadas e pesquisas conjuntas com as redes sociais de empresas privadas americanas. Também a nomeação para altos cargos diplomáticos, militares e de serviços de inteligência dos especialistas em guerra indireta, como John Tefft e Frank Archibald, testemunha a nova rota escolhida pelos Estados Unidos, de promover revoluções coloridas para derrubar regimes que vão de encontro aos interesses americanos.

As chamadas Jornadas de Junho de 2013, no Brasil, foram o divisor de águas da política brasileira contemporânea. Como se sabe, o país estava voando em "céu de brigadeiro" em 2013, com altas taxas de crescimento econômico, pleno emprego, aumento da capacidade de compra da população, obras de vulto na infraestrutura e uma presidenta com altos índices de popularidade. Os protestos de junho de 2013 equivalem, nesse sentido, a um raio em céu azul, parafraseando o Marx do *18 de Brumário de Luís Bonaparte*, que pede uma explicação racional para o aparentemente inexplicável. Como se sabe, diversos grupos de esquerda, principalmente em São Paulo e no Rio de Janeiro, desenvolvem ações de rua em protesto inicialmente contra o aumento das passagens de ônibus e, logo depois, contra uma série de alvos, que abrangiam desde manifestações contra a Copa do Mundo e a Olimpíada até protestos contra a Rede Globo. Eu morava no Rio de Janeiro nessa época e pude testemunhar pessoalmente que os protestos da esquerda foram especialmente significativos nessa cidade. A chamada grande imprensa, inclusive, condenou de modo enfático as manifestações até perceber que poderia utilizá-las contra o governo de Dilma Rousseff.

Esse tema é fundamental para que se compreenda o caráter das Jornadas de Junho como uma típica revolução colorida. Como estratégia, ela implica, por exemplo, se aproveitar de rebeliões espontâneas de baixa intensidade, que é o que tínhamos por aqui até então, e transformá-las em revoluções de grande intensidade, exatamente como operam os vírus de computador que terminam por se apossar de todo o sistema. As revoluções coloridas, na definição de Korybko, são as que visam a deposição de regimes não conformes aos Estados Unidos, realizadas sempre em nome dos valores democráticos e da retórica dos direitos humanos. A onda de protestos e de revoluções coloridas da Primavera Árabe, com resultados democráticos muito duvidosos, havia acontecido apenas dois anos antes. Mas como utilizar a retórica da democracia e dos direitos humanos contra um governo popular e democrático?

Já vimos que é essencial, para qualquer revolução colorida, perceber primeiramente o "formato inicial" do sistema, ou seja, a sua "configuração civilizacional/cultural" específica, sobre a qual se pretende agir no sentido de retirar sua legitimação pública. Em sociedades com déficits democráticos, como as da Primavera Árabe, o vírus adequado para a produção de uma "epidemia política" assume a forma da retórica dos direitos humanos. No caso brasileiro, é a corrupção política que já está desde sempre na cabeça das pessoas como a causa suprema das mazelas brasileiras. O "vírus" a ser instalado para produzir um resultado eficaz deve, portanto, ter relação com essa configuração político-cultural particular.

Não existe nenhuma evidência de que as manifestações iniciais dos grupos de esquerda tenham sido já monitoradas para produzir o efeito de uma revolução colorida. Porém isso não descarta a hipótese da manipulação desses protestos, já que, nos manuais das revoluções coloridas, a ideia é tanto provocar os protestos quanto redirecionar manifestações espontaneamente produzidas no sentido de uma revolução colorida. Acredito que tenha sido exatamente essa segunda hipótese que aconteceu. Muito cedo, com certeza poucos dias depois dos primeiros protestos, por volta dos dias 17 e 18 de junho de 2013, a grande mídia descobre uma súbita simpatia pelos manifestantes.

O fio condutor comum que possibilitou a passagem, no início quase imperceptível, das manifestações da esquerda para a direita parece ter sido o foco nos protestos contra a Copa do Mundo no ano seguinte. Ainda que nos grupos de esquerda a preocupação tenha sido enfatizar o investimento em infraestrutura educacional e hospitalar como prioridade, a acusação, ainda abstrata nesse momento pré-Lava Jato, de supostos desvios de recursos e corrupção para a Copa do Mundo estava presente já nos dois núcleos. Bastava construir uma linha de continuidade e chamar, para encabeçar o protesto, a classe média moralista e ressentida por anos de ascensão popular.

Parece ter sido a possibilidade de transmutar os protestos contra a realização da Copa do Mundo em crítica ao governo que fez a grande mídia mudar de posição e aderir de uma hora para outra às manifestações. Ainda sem qualquer caso concreto que pudesse ser utilizado como mote, a corrupção no sentido abstrato, como mera acusação genérica e sem endereço, rapidamente toma o papel de fio condutor dos protestos. Paralelamente, o perfil dos manifestantes muda e a classe média branca, conservadora e bem paga parece ter encontrado o palco ideal para se colocar contra o partido e o governo que seu voto nas eleições desde 2002 já não conseguia impedir. A partir do dia 17 de junho, quando as manifestações começam a ganhar vulto efetivo, os militantes iniciais são expulsos das ruas e substituídos paulatinamente pelo público de classe média e classe média alta, ou seja, a "elite funcional" da elite dos proprietários.

Tendo já desenvolvido, desde o Mensalão, uma estreita cooperação com os setores conservadores do Judiciário e do Ministério Público sob a máscara de uma "cooperação contra o terrorismo e a lavagem internacional de dinheiro" – claro, apenas o dinheiro das elites estrangeiras que fosse do interesse americano explicitar –, o Departamento de Estado americano só aguardava a melhor ocasião para colocar em ação e promover sua guerra híbrida contra o Brasil. Quando a elite brasileira associada à imprensa venal se volta contra a quebra do compromisso lulista por Dilma Rousseff, a partir de 2012, por seu ataque contra as taxas de juros e contra a margem de lucro das concessões público-privadas, então o quadro se torna crítico. A partir desse ponto, alguma forma de golpe de Estado se torna mera questão de tempo.

Nesse terreno, como em todos os outros que já discutimos, vale a regra de ouro da importação de instituições, ideias, usos, leis e práticas utilizadas e testadas primeiro nos Estados Unidos contra os adversários da elite no poder e depois aplicadas no mundo inteiro a serviço dos interesses americanos. Isso se dá muito especialmente no tema da corrupção utilizado como arma de guerra. Vimos que a difusão do falso culturalismo que alimenta a ideia do "excepcionalismo americano" parte do pressuposto de que o americano é não só mais inteligente e diligente, como, também, mais honesto e decente que os outros povos. Sem que essa ideia, apesar de completamente absurda, esteja na cabeça das pessoas no mundo todo, pela força do prestígio científico e da sedução da indústria cultural, ela não pode produzir seus resultados práticos.

Como mostram de modo convincente Valeska Martins, Cristiano Zanin e Rafael Valim, autores do livro *Lawfare: uma introdução*,[45] a lei, utilizada como arma de guerra, será a forma preferida de travestir os interesses inconfessáveis da elite americana nas belas vestes da luta da decência contra a corrupção. Assim, o *Foreign Corruption Practices Act* (FCPA), destinado a ser aplicado inicialmente a empresas americanas, assume paulatinamente, no contexto da OCDE dominada pelos Estados Unidos, o estatuto de arma contra empresas internacionais que atentem contra a "segurança nacional americana".

Assim, antes de ser utilizado contra Odebrecht e Petrobras, uma versão cada vez mais alargada do FCPA, chegando a envolver espionagem e vigilância direta dos e-mails e da comunicação das empresas, já havia sido usada contra a Siemens alemã por ter se negado a participar do embargo contra o Irã. Como retaliação, a empresa foi obrigada a pagar 1,6 bilhão de dólares em multas a autoridades americanas e europeias. Independentemente da veracidade ou não das supostas acusações contra a Siemens, a questão central é o uso seletivo da arma jurídica contra quem quer que ameace os interesses geopolíticos da elite americana. Também a Embraer passa a estar na mira do FCPA a partir de 2006, implicando o monitoramento constante dos negócios da companhia e acesso aos seus segredos até sua compra pela Boeing, decadente e em dificuldades financeiras, no começo do governo Bolsonaro.

Mais interessante ainda é o caso, analisado pelos autores, do senador republicano pelo estado do Alasca Ted Stevens,[46] que antecipa em tudo, inclusive nos detalhes, a trama que viria a ser utilizada contra o ex-presidente Lula mais tarde. Stevens chegou a ocupar, entre 2003 e 2007, a presidência do Senado americano. Antigo defensor das populações indígenas de seu estado, além de uma figura de prestígio entre republicanos e democratas, ele era tido como um sério opositor ao governo Obama. Stevens era amigo de Bill Allen, CEO da VECO Corporation, uma grande empresa de construção do Alasca, que havia sido investigado por doações a partidos políticos no estado. Como decorrência da investigação, Allen foi obrigado a vender a empresa e assinar um acordo de cooperação sem limite de tempo com autoridades judiciais.

Com Allen "nas mãos", os procuradores do Departamento de Justiça americano pretendiam então implicar Stevens em um caso de corrupção tendo como base uma reforma de 200 mil dólares que este havia realizado em seu chalé no Alasca. Temos aqui já toda a trama que seria montada contra Lula mais tarde nos temas do tríplex e do sítio de Atibaia. Inclusive os pretextos do ataque, se utilizando de bens imobiliários e de sua suposta reforma, se repetem em cada detalhe. Assim como a transferência da corte do processo do Alasca, onde o senador tinha muito prestígio, para Washington. O falso processo se utilizaria dos mesmos subterfúgios que depois seriam usados pela Lava Jato contra o ex-presidente, como o não acesso dos advogados de defesa às peças da acusação, a campanha midiática contra o senador e o uso de delações premiadas como mero eufemismo para a repetição de um script já montado pelos procuradores. Stevens foi condenado por violação do código de ética. Isso mesmo depois de a defesa provar que parte substancial do dinheiro da reforma, cerca de 160 mil dólares, tinha sido levantada pela mulher de Allen com a hipoteca da residência do casal em Washington.

Ocorre que, apenas dois meses depois da condenação, o agente especial do FBI Chad Joy decidiu contar o que sabia de todas as atividades irregulares e corruptas praticadas pelos agentes do FBI e do Departamento de Justiça no caso de Allen. O juiz do processo, Emmet Sullivan, inocentou Allen em abril de 2009 e abriu uma investigação contra os procuradores envolvidos. Aqui, talvez, a única diferença entre os casos de Allen e Lula: no caso americano, o juiz era verdadeiramente imparcial, o que faz muita diferença. Esse "engano" foi, como hoje sabemos, reparado no melhor estilo a partir da "escolha" de Sergio Moro como juiz do caso Lula. Como hoje se sabe, Moro era não apenas parcial e "inimigo" de Lula, como cooperava com a acusação e comandava de cima todo o complô pseudojudicial.

Em agosto de 2010, no entanto – do mesmo modo que o ministro do Supremo Tribunal Federal Teori Zavascki –, Allen, parte de sua família e alguns amigos morrem em um misterioso e suspeito acidente de avião no Alasca. Analistas do caso dizem que alguns equipamentos do avião foram intencionalmente desabilitados.[47] Seis meses depois do acidente, o procurador-chefe da força-tarefa que havia condenado Allen, Nicholas Marsh, de 37 anos, se suicida em sua casa em Nova York. Não é de esperar, no entanto, o mesmo dilema de consciência de um Deltan Dallagnol. Como consequência da condenação de Allen, a relação de poder no Senado muda em favor dos democratas, que conseguem aprovar projetos-chave para a administração Obama. Ainda hoje, notam os autores, é possível perceber, nos mecanismos de busca da internet, que as notícias acusatórias aparecem em primeiro lugar em todas as pesquisas. Foram as notícias contra Allen que conseguiram maior penetração, significando que grande parte do público americano ainda continua considerando-o culpado de seus supostos crimes.

Isso é precisamente o que acontece com Lula, fazendo com que muitos acreditem na sua culpa mesmo sem qualquer prova. O tema da corrupção, como podemos ver, se presta como nenhum outro a destruir reputações – seja de indivíduos, seja de partidos políticos, seja de povos inteiros. Ele abrange a dimensão mais alta da humanidade e do espírito, que é a instância moral. É ela, afinal, que nos define acima de qualquer outra.

Compreendemos, assim, que os Estados Unidos já haviam desenvolvido nas suas lutas políticas internas todos os elementos depois utilizados contra Lula e contra o Brasil. Para o Estado norte-americano, já existia desde Lula um profundo desagrado em relação à autonomia econômica e política de um Brasil que se ensaiava como potência global tanto na dimensão econômica quanto na dimensão ideológica, de um *soft power* que inspirava todo o Sul global a lutar contra a pobreza, a desigualdade social e a dependência imperialista. A partir de 2013, tanto a elite americana quanto a elite brasileira se irmanam contra a hegemonia popular petista.

É fato sabido e comprovado por denúncias do site WikiLeaks[48] que desde meados de 2009 juízes e procuradores brasileiros têm sido treinados por agentes americanos ensejando diversas formas de "cooperação informal". Ou seja, funcionários públicos brasileiros, pagos pelos contribuintes brasileiros, já vinham atuando como sujeitos particulares com interesses particulares em conluio com autoridades americanas. Sergio Moro é uma figura carimbada desses "cursos de capacitação". Tudo indica que a indicação do juiz Bretas para a Lava Jato do Rio de Janeiro se seguiu à sua participação em um desses "cursos".

Como a esquerda brasileira já fora colonizada pelo discurso do falso moralismo havia décadas, foi o próprio governo Dilma, em 2013, por intermédio de seu Ministério da Justiça, que criou as condições legais para o *lawfare* – o uso da lei como arma política – em sua versão brasileira. A lei 12.850/2013 tipifica os crimes de organização criminosa e obstrução da justiça, permitindo instrumentos altamente invasivos e ambíguos como "delações premiadas" e "prisões cautelares". Munida de suas armas de escolha, a Lava Jato tem caminho livre para a prática legalizada de tortura psicológica com prisões cautelares, extorsão e fraude.

O que a lei presenteada pelo ingênuo moralismo da esquerda não pudesse garantir, o apoio midiático resolveria. A TV Globo, magicamente salva do escândalo da FIFA e da CBF – com quem participou, no entanto, de todas as transmissões das Copas do Mundo que eram objeto das investigações nas mãos dos procuradores americanos –, passa a dar total apoio midiático às narrativas, por mais fantasiosas e infundadas que fossem, da Lava Jato. É certo que a Globo participaria de qualquer modo de um golpe conservador, como já havia participado em todos os anteriores. Mas, nas mãos dos procuradores americanos, que poderiam incluí-la ou não no rol de empresas perseguidas, ela perde qualquer independência e passa a agir sob comando de uma potência estrangeira. De certo modo, acontece com a Globo o que ocorre com a elite brasileira como um todo a partir desse período: ela perde sua autonomia relativa face à elite americana, que passa a ditar o enredo da política brasileira.

A partir daí, a Lava Jato entra em ação, se transformando na "bomba atômica" da guerra híbrida dos Estados Unidos, agora aplicada ao Brasil. A operação do Ministério Público esgarça o consenso inarticulado construído no período de redemocratização. O esforço de gerações em construir as bases para um consenso democrático, que reside, antes de tudo, no respeito à norma constitucional, foi precisamente o que a Lava Jato se dedicou a destruir. Por meio de ameaças, chantagens, extorsões e prisões ilegais, tudo com a parceria incansável da Rede Globo no comando da mídia elitista, levou-se a cabo um projeto reacionário e profundamente antidemocrático sob a bandeira do combate fajuto, ilegal e seletivo à corrupção.

Todo golpe de Estado, como o que a Lava Jato conduziu, compromete os consensos sociais, comunitários e políticos. Afinal, nunca se sabe quais os limites da agressão. Depois de desrespeitada pela primeira vez, a ordem constitucional tem dificuldades de se manter. Cria-se inevitavelmente uma "legalidade paralela", que foi a única herança duradoura da Lava Jato. A partir daí, o Estado passa a ser dominado não mais por uma lógica que tende a ser impessoal, a da lei, mas sim por interesses privados e corporativos de toda espécie. Cada grupo de interesses dentro e fora do Estado age como um "partido privado" que coloniza o falso moralismo do combate à corrupção.

E, ainda muito pior: isso tudo em cooperação abertamente ilegal com os órgãos americanos de espionagem no comando da operação. Como disse o próprio procurador-geral assistente em exercício Kenneth Blanco, do Departamento de Justiça americano: "Essa cooperação de procurador para procurador, de um órgão de segurança para outro órgão de segurança, tem permitido que ambos os países processem seus casos de maneira mais efetiva." Na sequência, ele confessa que toda a parceria se baseou não em tratados internacionais, mas em "confiança pessoal".

> *Tal confiança [...] permite que promotores e agentes tenham comunicação direta quanto às provas. Dado o relacionamento íntimo entre o Departamento de Justiça e os promotores brasileiros, não dependemos apenas de procedimentos oficiais como tratados de assistência jurídica mútua, que geralmente levam tempo e recursos consideráveis para serem escritos, traduzidos, transmitidos oficialmente e respondidos.*[49]

Vejam, cara leitora e caro leitor, que Blanco se refere ao Departamento de Justiça americano como uma instância pública e aos promotores brasileiros como pessoas privadas, reproduzindo fielmente como se deu a "cooperação". Do lado brasileiro não havia lei nem necessidade de seguir padrões legais, apenas pessoas privadas com interesses privados, ainda que se utilizando do cargo público e pagas por dinheiro público. O ponto de convergência e de aliança é que os interesses privados desses agentes se casavam com os interesses do capitalismo americano. Finalmente, Blanco cita a condenação de Lula como exemplo máximo do sucesso da cooperação com a Lava Jato. Isso tudo com o roteiro contra Lula já preparado pela experiência com o caso do senador Stevens, do Alasca. Precisamos de provas mais claras do que acontecia, cara leitora e caro leitor?

Moro e Dallagnol, juntamente com sua quadrilha de procuradores no Ministério Público e de juízes coniventes, todos atuando sem cobertura legal e como sujeitos privados, passaram a agir abertamente como partido político e grupo de pressão autônomo. O falso e seletivo combate à corrupção é só a fachada para legitimar a mudança de governo por meios não democráticos que interessava tanto aos Estados Unidos quanto à elite brasileira. Como a guerra midiática contra o PT, os movimentos populares e os sindicatos exige que se blinde a Lava Jato de qualquer crítica, a operação passa a agir explicitamente como partido privado e como organização criminosa, colonizando a justiça e adaptando os procedimentos legais a seus interesses políticos. Ela tem o poder de condenar e de absolver, mantendo os tribunais subservientes à custa de dossiês, ameaças e extorsões.

Cada vez mais poderosa e acima de qualquer crítica, a Lava Jato passa a agir em causa própria, ou seja, de quem a comandava, sem qualquer disfarce. Em conluio com os serviços de inteligência americanos, que são a ponta de lança dos interesses econômicos e corporativos dos Estados Unidos no exterior, a Lava Jato é treinada na estratégia de guerra híbrida e troca a submissão a objetivos econômicos americanos por dinheiro vivo, 2,5 bilhões de reais a serem depositados na conta da 13ª Vara Federal de Curitiba, como parte do "acordo" que arruinou a Odebrecht e a Petrobras. A Lava Jato exige sua "propina" pelos bons serviços prestados à potência estrangeira contra o Brasil e quer se perpetuar como partido político, explorando até o fim a balela do combate a corrupção.

A corrupção, apontada como grande mal nacional depois que intelectuais da direita e da esquerda passaram a definir o próprio povo como corrupto de nascença, começa a ser usada, mais uma vez, como arma simbólica contra a população. A elite e seus intelectuais construíram uma identidade nacional que envenena e humilha ao invés de motivar e engrandecer. Esse veneno era e ainda é o combustível da Lava Jato e de figuras abjetas que ela ajudou a levar ao poder. Não fosse a Vaza Jato, que expôs todo o esquema criminoso, Dallagnol, Moro e seus asseclas estariam se banhando em piscinas cheias de dinheiro vivo como o Tio Patinhas.

Além disso, a Lava Jato também exerce influência política decisiva com o serviço sujo da delação de Palocci em pleno clima eleitoral e da prisão ilegal e forjada de Lula, permitindo a eleição de Jair Bolsonaro.[50] Como sempre, e a história o demonstra, os autoproclamados combatentes moralistas da corrupção são os maiores corruptos. Na ficha suja da Lava Jato, o maior ataque já desferido contra a democracia brasileira nas últimas décadas, estão milhões de desempregados e a destruição de ramos industriais inteiros, que antes exportavam tecnologia e eram competitivos internacionalmente. Com o apoio dela, o Brasil se transforma no maior caso de sucesso da guerra híbrida americana.

A ELITE COLONIZADA BRASILEIRA E SUA ESTRATÉGIA: A TRANSFORMAÇÃO DO RACISMO EM MORALISMO

Uma elite neocolonial sem projeto nacional

A nossa reconstrução do imperialismo informal americano, na sua vertente material e simbólica, na primeira parte deste livro, teve o intuito de demonstrar a extraordinária força do capitalismo americano na condução e liderança do capitalismo mundial a partir do começo do século XX. Na verdade, desde então, para o bem e para o mal, tudo que associamos aos movimentos tanto políticos quanto econômicos mais importantes do planeta tiveram e ainda têm os Estados Unidos como força propulsora.

O dado mais fundamental nessa questão é não pensarmos os Estados nacionais como dado principal, como se eles fossem entidades homogêneas que se opõem umas às outras. Essa dimensão, apesar de existente e digna de nota em alguns casos, é secundária em relação à questão, sempre mais importante, de como submeter as classes populares do próprio país. E, em aliança com as elites locais, de como submeter as classes populares também dos países colonizados. Como vimos, a produção do consentimento, como prática de manipulação simbólica totalizante, começa primeiro "em casa", para depois ser aplicada ao resto do mundo.

Mas a vitória da "fábrica de consentimento" não foi apenas a vitória do engano e da ilusão. Ela estava ancorada em um tipo de capitalismo industrial fordista, de alta produtividade, que pagava altos salários relativos aos trabalhadores das indústrias de bens duráveis. Os trabalhadores desses ramos industriais de alta rentabilidade tinham acesso aos bens que produziam, inclusive automóveis, quando os mesmos eram, na Europa, artigos de luxo reservados às classes privilegiadas. O consentimento manipulado tinha como objetivo transformar os cidadãos americanos, que demandavam direitos e espaço de poder real, em meros consumidores. Porém a afluência do consumo material era real, ao menos para os trabalhadores das grandes empresas monopolistas.

Sob o impacto devastador da Grande Depressão de 1929, o *New Deal* rooseveltiano foi capaz, inclusive, de criar uma nova hegemonia social, fundada numa aliança de classes antes inaudita no capitalismo: uma aliança efetiva entre industriais e trabalhadores baseada na institucionalização do direito de greve, nas leis de proteção ao trabalho e nos ganhos salariais reais por produtividade. O contexto de virtual destruição, total ou parcial, dos principais países europeus no segundo pós-guerra foi o fator que possibilitou que o que seria chamado de "compromisso social-democrata" fosse expandido aos países europeus. Mas a gestação de todas as suas características principais é uma produção nativa americana. A ameaça potencial do socialismo real da União Soviética apenas tornou a sua necessidade ainda mais urgente.

O problema para os países periféricos é que mesmo o "compromisso social-democrata" se dá apenas no contexto de um imperialismo informal expandido para a fórmula americana do G7 – Estados Unidos, Canadá, as potências europeias e, no começo como sócio menor (o que confirma o caráter racista primordial dessas escolhas), o Japão. Os Estados Unidos forjaram uma nova ordem internacional "informalmente" imperialista que tinha duas características principais: 1) de um lado, havia o objetivo de evitar as guerras mundiais interimperialistas que ameaçavam a própria existência das sociedades industrializadas; 2) de outro, mantinham-se o status quo de uma divisão internacional do trabalho e os filtros para o acesso à tecnologia de ponta e ao capital que condenavam à pobreza a maior parte da população do resto do mundo.

Desse modo, a implantação de toda uma infraestrutura financeira e jurídica mundial a partir da generalização planetária das práticas e instituições do capitalismo doméstico americano terá o sentido de permitir a acumulação capitalista em todo o globo em benefício do G7. Obviamente, os Estados Unidos ficam com a melhor parte do bolo, com o controle econômico – que a introdução do dólar como a moeda de referência mundial vai apenas consolidar –, com o controle político-militar e, por último, mas não menos importante, com o controle simbólico e cultural.

Assim, enquanto o G7 podia colher os frutos de uma riqueza relativamente bem distribuída e do acesso universal à saúde e à educação na maior parte dos países membros, as sociedades marginalizadas, ou seja, os países periféricos da nova ordem mundial, se defrontavam não só com a pobreza material da maior parte de sua população, mas também com violentas ditaduras como as que assolaram a América Latina no período. Quando Jango tentou, como Getúlio Vargas com um pouco mais de sucesso antes dele, implantar reformas de base e impor regras na transferência de lucros dos investidores internacionais aos países do G7, ele foi deposto pelo mesmo esquema mafioso sob comando da CIA que já havia deposto Jacobo Arbenz na Guatemala (por conta das bananas da United Fruits) e Mohammed Mossadegh no Irã (por conta do petróleo). No Brasil, no entanto, os golpes apoiados pelos Estados Unidos costumam ter o apoio da própria elite local e de sua imprensa.

Quem é vira-lata e corrupto, portanto, não é o povo brasileiro, como querem nos fazer crer os intelectuais elitistas, mas a própria elite. Isso tem a ver não com alguma influência cultural misteriosa, mas com a própria formação histórica brasileira. São sempre aspectos contingentes da história de uma sociedade, ou seja, que poderiam ter sido outros fossem outras as precondições, que explicam a realidade concreta. Quando se diz, como Tocqueville, que as sociedades se compreendem antes de tudo por sua gênese, o que deve ser ressaltado é que as classes sociais, na sua construção histórica, realizam aprendizados ou deixam de realizá-los, o que vai condicionar suas escolhas futuras.

Não são, portanto, origens "culturais" fantasiosas e misteriosas que se eternizam, mas sim os efeitos e as consequências de arranjos e de alianças de classe que tendem a se reproduzir com outras máscaras indefinidamente. É nesse sentido preciso que se torna fundamental compreender o desenvolvimento histórico de uma sociedade. No Brasil, são as frações dos proprietários não industriais, no campo e na cidade, que, na verdade, jamais deixaram de ocupar o comando da sociedade, numa impressionante continuidade do Brasil escravocrata e colonial.

Esse aspecto é fundamental para entender por que o Brasil, longe de realizar a trajetória das potências emergentes asiáticas, como o Japão, a Coreia do Sul e agora a China, ao contrário, reproduz a estrutura colonial e se une a potências estrangeiras para oprimir seu próprio povo. É essencial compreender a constituição de uma elite que, na realidade, opera como representante das elites estrangeiras no próprio país, cobrando um "pedágio" pelo trabalho de repressão e de submissão da própria população. A elite brasileira, na realidade, se comporta como uma "elite funcional" das elites proprietárias internacionais, ficando com a fatia menor do espólio que permite a opressão econômica e política do próprio povo. Essa é, obviamente, a real corrupção da elite brasileira, que a balela da construção do bode expiatório do patrimonialismo e da herança cultural da corrupção do povo pretende tornar invisível e ainda culpar pelo grande engodo a vítima: o povo oprimido e explorado.

A formação do pacto racista e elitista contra o povo

O contexto histórico formador da sociedade brasileira moderna é o dos anos 1920 e 1930. O primeiro passo para compreendermos o Brasil de hoje e sua inserção internacional subalterna é percebermos que sua história e sua autoimagem foram desvirtuadas pela elite dominante. Com a decadência paulatina das grandes religiões, foi a ciência, como vimos, que herdou tanto o prestígio quanto a função de legitimar o mundo social para os vencedores. Como pudemos analisar no caso americano, a ciência mundialmente hegemônica legitima tanto a divisão social do trabalho internacional sancionada pela elite americana quanto a domesticação do próprio povo, que se imagina "excepcional" e eleito por Deus.

No caso brasileiro, a elite vai sancionar uma visão que se vende como crítica, quando, na verdade, recobre o racismo escravocrata anterior com uma mera máscara culturalista que sequer se percebe colonizada. O novo "racismo vira-lata", sancionado pela elite brasileira, será a "imagem invertida" da suposta superioridade inata dos americanos – o protestante, supostamente expressão da honestidade, como a versão camuflada do racismo travestido de culturalismo típico do século XX. Na realidade, como vimos, temos apenas a substituição do "branco" como encarnação de toda a virtude, do velho colonialismo europeu do século XIX, pelo "protestante ascético", suposto retrato da virtude e da decência do novo imperialismo informal americano.

Nessa fantasia, o brasileiro representa a lata de lixo da história. Muita gente viu nessa acusação absurda a prova da existência de uma teoria crítica verdadeira. Como vimos, Sérgio Buarque foi o filósofo do liberalismo conservador vira-lata no país e influenciou 99% da inteligência brasileira. Muitos, ingenuamente, ainda acreditam que essas ideias ficaram nos anos 1930. Basta ver a produção recente, que se pretende "crítica", da fina flor da intelectualidade brasileira[51] para que possamos comprovar a ainda intensa vigência dessas ideias elitistas, arcaicas, reacionárias e, inclusive, como veremos, racistas no seu núcleo.

Foi Buarque, o mais influente pensador brasileiro por qualquer critério objetivo, quem inverteu a fórmula varguista/freyriana e disse: Nada disso! Não temos nada de bom nem nada do que nos orgulhar. Se nos compararmos com os grandes, belos, maravilhosos, produtivos e honestos americanos, essa raça eleita e celestial, nosso povo é só defeito, feiura e vergonha. Somos não só preguiçosos e emotivos, mas, antes de tudo, desonestos e corruptos por natureza. Ou melhor, o que dá no mesmo nesse caso, por "cultura". Raimundo Faoro, também o mais importante historiador brasileiro por qualquer critério objetivo, se juntou à farsa e remontou a "cultura da corrupção" ao Portugal medieval. Todo mundo, na direita e na esquerda, acreditou. Muita gente acredita ainda. Só faltou contar que é ridículo se falar de corrupção em 1381, já que, sem a noção de soberania popular, que só seria "inventada" na Revolução Francesa, 400 anos depois, não existia na cabeça de ninguém a noção de "propriedade pública" que pudesse ser "corrompida" por um particular.

Esse vira-latismo que impregna a alma de todo pensamento brasileiro já foi denunciado por mim em *A elite do atraso*. Quando o "oprimido", no caso o Brasil e o povo brasileiro, abraça a ideia de que é inferior em todas as dimensões importantes da vida, não é mais necessário travar batalhas, porque a guerra contra ele já está ganha. Se o próprio povo se vê como inferior, muito especialmente na dimensão moral, a mais importante dimensão simbólica da vida humana, então os Estados Unidos não precisavam invadir o Brasil para roubar o orçamento público, as empresas públicas de maior tecnologia e as riquezas nacionais, como havia feito com o Iraque.

Os brasileiros da elite do saque vão dar a eles tudo que quiserem a preço de banana, desde que com a certeza de que os restos do butim sejam pagos em espécie nos paraísos fiscais. É para garantir isso que uma turma de aventureiros inescrupulosos tomou de assalto o Ministério da Economia do governo Bolsonaro. Esse tipo de corrupção Sergio Moro e sua quadrilha parecem considerar roubo amigo, roubo de quem tem direito de roubar e de gente que não pode nem deve ser "melindrada".[52] Depois, a imprensa, cooptada por esse mesmo pessoal, vai dar a entender ao povo que, como somos todos corruptos e inferiores aos americanos especiais e honestos, é bom mesmo, de qualquer modo, deixar nossas riquezas com eles, que vão saber utilizar melhor o que era nosso. Isso foi, sem tirar nem pôr, o que a Lava Jato, em conluio com a mídia elitista, efetivamente fez. Como sempre, o combate à corrupção entre nós só serve para legitimar e encobrir a real corrupção.

Mas isso não começou com a Lava Jato, que, na realidade, é apenas a última máscara de uma farsa que já tem pelo menos 100 anos de tradição. Foi por ter tido essa compreensão histórica que, desde o início, nunca me deixei enganar por ela, ao contrário da maioria esmagadora dos intelectuais, sejam de direita, sejam de esquerda. Não foi por possuir uma bola de cristal. Foi a simples dedução dos princípios simbólicos legitimadores dos privilégios da elite e da classe média branca brasileira, cuja aliança se forma no alvorecer do século XX. É importante que nos debrucemos sobre essa história para que outra versão, convenientemente repaginada, da Lava Jato não se instaure daqui a 10 ou 20 anos mais uma vez.

Na base desses privilégios está o racismo, o racismo racial mesmo, a verdadeira semente do amor entre classe média branca, como Moro e Dallagnol, e a elite de proprietários – que é quem rouba de verdade mas não pode ser melindrada. Quando da abolição formal da escravatura em 1888, a data mais importante do Brasil moderno, os negros escravizados não foram apenas abandonados e humilhados em favelas nas grandes cidades. Foram condenados até hoje a serem perseguidos e mortos pela polícia a serviço das classes "superiores". Até hoje, quem quer que faça algo por eles, como Vargas ou Lula, é perseguido e condenado sem provas.

A República Velha, que se constrói logo após a libertação dos escravos, na verdade piora a situação, já que os ex-escravos são expulsos sem qualquer ajuda e deixados sem lugar na produção econômica, condenados à perseguição perpétua pela polícia, que substitui os capitães do mato. E europeus brancos são chamados para substituí-los seguindo razões abertamente racistas. É gente que vem aos milhões de todos os países da Europa, muito especialmente italianos para São Paulo e o Sul do país, e portugueses para o Rio de Janeiro e as capitais do Nordeste. Muito depressa, graças à acelerada industrialização comandada por São Paulo, uma parcela significativa desses imigrantes ascende socialmente. Muitos vão ocupar os lugares principais na classe média que se forma na esteira da industrialização e integrar a classe de gerentes e supervisores de colarinho branco da produção capitalista emergente e da infraestrutura estatal que se cria. Uma pequena fatia dos estrangeiros, inclusive, vai ascender à elite, formando parte de sua fração industrial e moderna.

A construção histórica da fração industrial brasileira permite perceber, inclusive, a semente de seu fracasso relativo no futuro. Os novos industriais são praticamente todos estrangeiros, como denunciam seus nomes de família: Klabin, Matarazzo, Crespi, Jafet, etc. Eles se desenvolvem a partir do núcleo financeiro internacionalizado – com apoio de filiais de bancos de vários países europeus – que se cria em São Paulo com o boom da produção cafeeira. São os exportadores/importadores que se tornam os novos industriais, pois paulatinamente vão percebendo as chances da produção industrial de substitutos dos artigos importados. O crescente mercado consumidor de artigos de primeira necessidade, como roupa e comida, e as interrupções do fornecimento europeu devido a múltiplas razões, inclusive as guerras, fornecem o impulso inicial à industrialização "espontânea".

No entanto, o rápido sucesso econômico da fração industrial "estrangeira" não muda o perfil da elite brasileira. A fração politicamente dominante continua sendo a elite agrária do tempo do escravismo. Uma elite criada no mandonismo rural, cuja acumulação primitiva de capital sempre foi a expulsão violenta de posseiros, o assassinato e o roubo de terras. Roubos de terras mais tarde convenientemente legitimados por juízes canalhas para que os novos proprietários não se sintam "melindrados" com a nova riqueza. Sem contar a introjeção secular do ódio ao escravo, que implica a violência e a humilhação física e simbólica saboreada como verdadeiro privilégio senhorial.

Ao contrário dos países europeus e dos Estados Unidos, onde a fração industrial assume o comando da sociedade, aqui a "modernização" foi uma mera máscara do passado escravista. Quando a fração industrial assume o comando material e simbólico da sociedade, como no fordismo americano, a capacidade de compra dos trabalhadores começa a interessar também ao capitalista, que quer vender seus produtos em escala industrial. Passa a existir a possibilidade de defender o mercado interno e, com isso, o próprio desenvolvimento nacional. Passa a existir, inclusive, a possibilidade de demandas convergentes e acordos entre empresários e trabalhadores, como nos principais países europeus e nos Estados Unidos depois da Segunda Guerra Mundial.

No nosso caso, os industriais "estrangeiros" não só tinham, frequentemente, mais interesse afetivo no seu país de origem do que no país que os havia enriquecido, como também privilegiavam muito mais estratégias "familiares" de sucesso, como demonstram os frequentes casamentos dos filhos de industriais com os filhos da elite agrária. Os planos familiares de curto prazo tinham predominância sobre os interesses de fração de classe de longo prazo, os quais, em boa medida, se contrapunham aos da elite agrária.

Mais importante ainda, a dominância política permaneceu nas mãos da elite agrária, restando à indústria o papel de mero apoio auxiliar e interesse subordinado no contexto do Partido Republicano Paulista. O Brasil permanece, portanto, uma nação comandada por uma elite agrária baseada na grande propriedade para exportação, recebendo em moeda estrangeira e com pouco comprometimento com o que acontece no próprio país – a não ser com o que representa alguma ameaça a seu próprio poder.

É esta a semente da República Velha: uma elite vinda da escravidão cujo único objetivo político é o de se apropriar do Estado e do orçamento público como se fossem bens privados. Esse arranjo de poder era tão restrito que provocou a única real revolução brasileira. A "democracia" da República Velha, até hoje cantada em prosa e verso como contraponto democrático a Vargas pela elite paulista, jamais abrangeu mais do que 5% da população. Mesmo assim, as eleições ainda eram fraudadas a bico de pena. De fato, esse estado de coisas descontentou até mesmo as elites subalternas regionais e a classe média das grandes cidades. Vargas ascende ao poder nesse contexto de descontentamento e instaura a única variante dialética da política brasileira oposta ao domínio do mandonismo rural e urbano da elite de proprietários.

A partir de 1930, a continuidade da escravidão com outras máscaras vai ter como contraponto, pela primeira vez, um outro modelo de desenvolvimento econômico, político e social. Vargas sonha com uma potência industrial e com partidos de trabalhadores de massa. Como não existe inclusão real sem uma ideia que a torne palpável e a dote de certo poder de convencimento, Vargas recorre à obra de Gilberto Freyre: o reconhecimento do brasileiro como povo mestiço e a transfiguração do mestiço em positividade, em algo "bom". A partir daí, o Brasil tem seu primeiro herói negro: Leônidas da Silva, o "Diamante Negro" que havia encantado a Europa no Mundial de 1938. O samba deixa de ser criminalizado e passa a ser reconhecido como a música brasileira por excelência. O país, que era tido, segundo os padrões do racismo "científico" da época, como o "último do mundo", como dizia o conde Gobineau, precisamente por ser uma terra de mulatos, dava seus primeiros passos, ainda que claudicantes e ambíguos, em direção a uma identidade nacional que reforçava a autoestima de sua população.

Mas uma elite escravocrata habituada a explorar seu próprio povo precisa de um povo humilhado e ofendido para melhor manipulá-lo. Quando viu que não podia vencer Getúlio militarmente – berço do esquema que seria usado anos mais tarde ao perceber que não poderia vencer Lula eleitoralmente –, a "elite do atraso" paulista, comandada ainda então pela velha elite agrária, teve uma sacada de gênio. Ora, como fazer para recuperar a classe média branca que havia se encantado com Getúlio e, matando dois coelhos com uma só cajadada, ainda culpar o próprio povo por tudo de mal que acontece no país? Ou seja, como voltar à "escravidão prática", que significa ódio aos pobres e prazer na humilhação do mais frágil socialmente, fazendo de conta que se é moderno e democrático? Difícil conseguir isso tudo de uma só vez, não é mesmo, caro leitor e cara leitora? Mas a inteligência brasileira, quando se trata de dar tiro no próprio pé, consegue proezas de que até Deus duvida. Ainda mais quando tem imprensa, reconhecimento, prêmios e prestígio como recompensa por dar à "elite do atraso" tudo que ela precisa.

Esse esforço se dá, no Brasil, na mesma época da produção do consentimento nos Estados Unidos, que já vimos. São duas estratégias elitistas para manipular o povo em um contexto de sufrágio universal. Nos Estados Unidos, a produção do consentimento se dirige a enfraquecer o movimento operário, antes muito ativo naquele país. No Brasil, a ideia é arregimentar, antes de tudo, a classe média, que se lançava na arena política com um papel decisivo, para formar ao lado dela um pacto antipopular. É nesse contexto que se funda a USP, com pátina de prestígio internacional e "charminho francês" para encantar a colônia. Aqui se desenvolve a versão vira-lata do culturalismo freyriano, de modo a preservar o racismo prático contra o povo brasileiro, sem tocar, no entanto, na palavra raça. Antes muito pelo contrário, fazendo de conta que o racismo estava superado. Foi precisamente o que o culturalismo americano promoveu a partir dos anos 1920 no próprio país, para dar alguma sobrevida ao racismo europeu do século XIX, fingindo que o havia superado. Foi precisamente o que o pensamento social brasileiro hegemônico também fez.

Como já vimos, toda a ideia é furada e se baseia numa fraude histórica monumental. Mas, como era para humilhar o povo negro e mestiço e degradá-lo à subcidadania eterna, a elite cuidou para que sua imprensa repetisse essas bobagens 24 horas por dia desde então, até que todos, inclusive a "esquerda", acreditassem. Por baixo do pano se construiu uma aliança de aço entre a elite do atraso e a classe média branca importada da Europa. Como o povo é tido como inferior, a pretensa "europeidade" e a "marca racial" vão passar a indicar a oposição racional/emotivo, culto/ignorante, esclarecido/manipulado e, principalmente, honesto/corrupto – ideia que irá dominar a cena e todas as análises políticas brasileiras.

Como se consegue isso? Primeiro se diz que todo o povo é "corrupto", que é precisamente o que a ideia de personalismo brasileiro, materializada no homem cordial e depois na noção de "jeitinho brasileiro", significa. Depois se diz que no mercado não existe homem cordial, mas apenas homens honestos, empreendedores e criadores de empregos, como gosta de repetir João Dória. E a seguir se diz que "jeitinho" e homem cordial só existem de verdade na política, aproveitando-se da obviedade de que a política no Brasil foi construída para ser corrompida e comprada pelo mercado.

Na ausência de uma classe popular e trabalhadora numerosa, organizada e atuante como nos Estados Unidos, a sedução da elite se dirige à nascente classe média brasileira que havia aderido a Getúlio Vargas. A elite convida os membros da classe média a se sentirem como "americanos virtuosos na África brasileira", representantes do trabalho, da moralidade e da decência em meio a um povo primitivo e corrompido, que é exatamente o que o homem cordial significa. Se homem cordial se refere, inicialmente, a todo brasileiro, com a separação construída pelos epígonos entre mercado virtuoso e Estado corrompido, convida-se a classe média a se irmanar com as forças do mercado e a se distanciar das classes que "precisam" do Estado. Com o tempo e o trabalho diário da imprensa elitista, essa foi a mensagem subliminar construída.

Para a elite, a "brilhante" explicação do patrimonialismo diz que quem rouba são o Estado e a política, nunca o mercado. Olha que ideia boa para quem é rico e proprietário, não? Seu roubo fica invisível e vai ser chamado de "negócio bem-feito", como os negócios dos bancos brasileiros e de seus parceiros internacionais hoje em dia. Corruptos serão sempre e apenas os representantes eventuais que o povo consegue pôr no Estado para representá-lo. Por isso se criminalizam a política e a soberania popular chamando-as de patrimonialistas e corruptas. Assim se completa o ciclo da demonização do próprio povo: não só ele é definido como ladrão de nascença, mas também o são todos os candidatos em quem vota. Tudo "cientificamente" comprovado pelas melhores mentes do país.

Finalmente, a noção de patrimonialismo só da política vai se casar com a de populismo – no fundo a mesma ideia do personalismo, do povo inferior, transposta para a esfera política – para que a República Velha, que Vargas tinha tentado derrubar, continue com outras roupagens, pseudodemocráticas, mas preservando o principal: 1) o saque ao Estado e ao orçamento público como privilégio da elite; e 2) a criminalização da soberania popular. Se não se pode mais limitar o voto a 5% da população, então deve-se achar uma maneira de desacreditar, criminalizar e estigmatizar o voto popular. É desse modo que o esquema de poder que vigorava desde a escravidão continua sob disfarces modernos.

Se nos Estados Unidos a luta contra o povo assumiu a forma de manipulação da propaganda e da indústria cultural, por aqui se criminalizou a soberania popular enquanto tal, pavimentando o caminho para golpes de Estado recorrentes. Como a decisão de quem é ou não corrupto é seletiva e pré-decidida a favor de quem domina a mídia e a informação, então basta dizer – sem provas, como com Vargas, ou com provas falsas obtidas sob tortura psicológica, como com Moro e sua quadrilha contra Lula – que todo líder popular alçado pelo voto é corrupto.[53] Juntam-se a isso as ideias de patrimonialismo e populismo, num duplo ataque ao povo: 1) primeiro, com a pecha de populismo, se diz que ele é cognitivamente inferior e facilmente manipulável; e 2) em seguida, se diz que ele é moralmente inferior, posto que seria complacente com a corrupção apenas no Estado e na política.

O velho racismo escravocrata se renova e se repagina para enfrentar os tempos modernos do sufrágio universal. A cereja do bolo é que se pode ser racista e canalha fingindo que se é democrata e defensor da moralidade. Essa leitura do Brasil é eficaz porque demonstra como o país é o melhor dos mundos para o pacto racista e antipopular da elite e da classe média branca e importada, que se julga europeia pelo "sangue" já longínquo, embora não tenha mais nenhum comprometimento com os valores europeus de igualdade, liberdade ou fraternidade.

É desse modo que o racismo racial, o ódio ao povo mestiço e negro, recobre todas as relações de classe no Brasil moderno. Veja o ódio a Lula, nordestino e mestiço, que levou milhões à rua em nome de um linchamento sem provas. No que isso difere da Ku Klux Klan? E os Tessler, Cheker, Hardt, Moro, Dallagnol, Pozzobon, a classe média branca importada, que se alça a "nobreza de Estado", ostentando orgulhosamente a herança de sangue europeu como uma "carteirada", como quem diz: nasci aqui por acaso, mas não tenho nada a ver com vocês, povinho imundo! É por conta disso que se acham acima da lei e consideram que qualquer canalhice será desculpada por tirar a nação das mãos desse povinho desqualificado. O ódio a Lula – de outro modo inexplicável – é mera personalização do ódio ao negro, ao mestiço e ao pobre. Daí que ele não tenha direito a qualquer empatia e solidariedade humana das classes privilegiadas.

É o velho e imortal racismo racial do escravismo que foi repaginado pelos intelectuais da elite paulista como racismo "moralista". O objetivo da elite – e pouco importa se essa era a intenção dos intelectuais ou não – foi preservar as condições políticas e simbólicas excludentes da escravidão num contexto de sufrágio universal. Se o "escravo" agora pode votar, então urge estigmatizar e criminalizar seu voto. Como a ideia da "mestiçagem" como algo positivo havia encontrado eco generalizado a partir da publicação e do sucesso estrondoso de *Casa-grande & senzala*, o "racismo aberto" se tornou uma via fechada. Precisava haver ideias que pudessem alimentar o racismo contra o povo mestiço e negro sem tocar na questão racial. É precisamente o que farão os intelectuais do "liberalismo conservador" brasileiro. O protestante ascético do culturalismo que substitui o branco no paradigma racial será importado como modelo e ideal – do mesmo modo que as legiões de trabalhadores brancos haviam sido importadas nas décadas anteriores.

Como a menção direta à raça é interditada e proibida, ela será substituída pela acusação de complacência com a corrupção patrimonial e pela noção de populismo. Esse é o verdadeiro objetivo das ideias encadeadas de personalismo, patrimonialismo e populismo que perfazem a interpretação hegemônica do Brasil sobre si mesmo. É uma forma de travestir o racismo real e dar-lhe uma roupagem pseudocientífica moderna. Então como sabemos que é racismo? Porque sua função é a mesma do racismo racial: subjugar o negro e o pobre, retirar deles a confiança e a autoestima e criminalizar de antemão qualquer defesa popular. Unindo as três ideias, percebemos de modo claro e cristalino quais são seus objetivos: elas servem para estigmatizar o próprio povo, que é negro e mestiço, e, como consequência, a soberania popular. O problema de nossa democracia sempre será, portanto, o povo – negro e mestiço, no racismo tradicional, e corrupto (além de burro e preguiçoso), no racismo culturalista. O moralismo das classes do privilégio permite, então, que elas continuem a ser racistas sem serem atacadas por isso. Solução perfeita da genial inteligência brasileira: conseguir transformar o racista em campeão da moralidade pública!

Se o problema da democracia brasileira deixa de ser a elite antipopular e se concentra no povo, culpando-se a própria vítima pela exploração e pela humilhação que sofre há séculos, temos um problema insolúvel. Na verdade, essa foi a saída da elite e de seus intelectuais para que a escravidão pudesse continuar intocada mesmo depois do advento do sufrágio universal. Quem ousar tocar na desigualdade visceral brasileira será defenestrado do poder por acusações falsas de corrupção, mas aceitas pelo seu valor de face pela elite, pela classe média branca e pela imprensa. Daí que tenhamos golpes de Estado recorrentes na nossa história sempre que a estrutura social arcaica é ameaçada. Essa é a narrativa oficial do Brasil há 100 anos. Essas ideias foram gestadas já na década de 1930 para criminalizar a ascensão de Getúlio Vargas ao poder.

Elas constituem desde então a espinha dorsal da interpretação hegemônica do país por meio da posição de destaque de São Paulo e de sua elite em todas as dimensões da vida social: econômica, cultural e política. Elas são o núcleo de legitimação do que gosto de chamar de "liberalismo conservador brasileiro". A partir de São Paulo, essas ideias vão dominar toda a sociedade brasileira e seu imaginário político, seja de direita, seja de esquerda. Isso acontece em pouco tempo. Elas começam nos anos 1930 e já derrubam Vargas em 1954, em um ataque em tudo semelhante ao da Lava Jato contra Lula 70 anos depois. Mas é a partir dos anos 1990, com FHC, que elas se tornam absolutamente hegemônicas para todo o país e para todo o campo político, abrangendo também a esquerda "moralista" domesticada.

A classe média branca e a elite brasileira se mantêm, valorativamente, portanto, classes escravocratas que jamais criticaram seu racismo e seu ódio ao próprio povo, ainda que consumidoras de bens modernos. Em vez de ser inclusiva, como seu modelo europeu, a democracia brasileira racista e escravista foi simplesmente repaginada com teorias construídas com precisão de alfaiate para eliminar a culpa do racista e manter intactos seu ódio e seus privilégios. É, em boa medida, por conta disso que a leitura getulista inspirada por Freyre do elogio ao mestiço foi reprimida e substituída pelo mesmo preconceito que separa o protestante, supostamente honesto e perfeito, das outras culturas ou "raças" inferiores regidas pela emoção e indignas de confiança, como o "homem cordial brasileiro". A conjunção entre corrupção e populismo entre nós permitiu a reinterpretação da pecha de desonesto do brasileiro de todas as classes, aplicando-a apenas às classes populares. Só elas são insensíveis à corrupção no Estado – alçada a crime central e único da vida humana pela propaganda da mídia brasileira há quase um século –, merecendo, portanto, o ódio e o desprezo das classes altas brancas e europeizadas.

Ou alguém já se esqueceu da crítica ao voto de baixa escolaridade (e de leniência com a corrupção) na eleição de 2014, que marcava o PT, como todos os jornais faziam questão de enfatizar? O tema da corrupção, da desonestidade dos povos inferiores e de sua menor capacidade intelectual relativa foi apropriado pelas classes do privilégio no Brasil como "equivalente funcional" do racismo explícito interditado pelo discurso da cordialidade e da suposta integração. Como a menção direta à raça é proibida, ela será substituída pela acusação de complacência com a corrupção patrimonial e pela noção de populismo. O suposto populismo lembra a "inteligência inferior" de quem é facilmente manipulável. A suposta leniência com a corrupção patrimonial do Estado lembra o defeito moral. Essa ideologia do patrimonialismo e do populismo foi o cimento do pacto antipopular da elite e da classe média branca, foi a ideia que permitiu que a elite reconquistasse a classe média antes seduzida pelo discurso popular de Vargas.

As ideias conservadoras devem justificar um sentimento arcaico preexistente, dando-lhe uma aparência de novo, de bom e de justo. O racismo secular brasileiro, o ódio covarde ao frágil e ao desprotegido, o prazer na humilhação diária, típico das classes privilegiadas de todo escravismo, passam a ser não apenas justificados, mas até celebrados como sensibilidade moral, decência, honestidade e inteligência. Em vez de conviver com a vergonha do racismo, permite-se ao racista sua metamorfose em "defensor da moralidade". O racista passa a se sentir "reserva moral da nação". Invenção genial, não é mesmo, leitor e leitora? Qual canalha não quer ver sua canalhice transformada em virtude e ter a possibilidade de moralizar o preconceito odioso que sente de modo a poder, assim, defendê-lo sem culpa? E ainda se olhar no espelho e sentir orgulho, e não vergonha?

Em conluio com a elite e associada a ela por suas "virtudes morais", a classe média branca vai se comportar como uma potência estrangeira dominando um país africano. Vão ser os "belgas no Congo", inimigos do povo que desprezam e, por conta disso, sem qualquer solidariedade nacional que possa forjar um projeto comum, vão preferir se aliar às elites estrangeiras no saque e na rapina do próprio país. No mesmo movimento, se assegura à elite proprietária o capital econômico das verdadeiras grandes mamatas junto ao capital estrangeiro. Para a classe média alta, ficam os empregos com alto salário e grande prestígio nas carreiras nobres do Estado e na gerência e supervisão das atividades de mercado.

Juntam-se a elas também os "profetas da bem-aventurança", que vão para a imprensa e a esfera pública justificar esse padrão de legitimação como algo bom e necessário. Essa é a verdadeira "elite funcional", que, em nome da elite de proprietários, gera sua riqueza e seus privilégios. A reprodução desse capital cultural, necessário para o desempenho dessas funções, é o privilégio típico da classe média. Pode-se ter uma ideia do incômodo nesse setor quando Lula começou a mandar negros e pobres para as universidades. A Lava Jato e seus juízes e procuradores são um espelho fiel da articulação racista entre a elite econômica colonizada e sua "elite funcional" branca de origem europeia.

Mas o que levou essas duas classes a saírem de seus bons modos afrancesados e bem-pensantes – que FHC representava tão bem –, a abandonarem a defesa, ainda que apenas abstrata, dos direitos humanos e caírem no esgoto do ódio gratuito e da violência explícita, miliciana e cruel do bolsonarismo? Como a República Velha, que se vestia de dourado para se fingir de nova, agora entrega o poder para uma família de arrivistas ligados a milicianos? Essa narrativa é nova e precisa ser contada desde o começo. Ela acontece primeiro na metrópole e só depois na colônia. Como a classe média alta e a elite paulistana, até então no controle ideológico, econômico e político da nação, com seus punhos de renda e francesismos, cedem espaço à malta miliciana do esgoto carioca? Para isso, será necessário analisar como se deu a passagem do neoliberalismo progressista americano de Clinton e Obama para a violência aberta de Trump. Como sempre, o movimento começa lá, nos Estados Unidos, e apenas depois se desdobra nas colônias, replicando-se com mais força nas mais fiéis e mais ideologicamente colonizadas, como o Brasil.

AS METAMORFOSES DO NEOLIBERALISMO

Da guerra contra os pobres à guerra entre os pobres

Vimos na primeira parte deste livro que o capitalismo mundial contemporâneo foi criado à imagem e semelhança do capitalismo americano. Toda a experiência de gerência econômica e todo o arcabouço legal construído para possibilitar a operação do capitalismo em nível mundial foram gestados e testados no próprio território norte-americano. Mas isso não ocorreu apenas em sua faceta econômica. Também politicamente a sociedade americana foi e ainda é o espelho que comanda as ações em todo o planeta. O aprendizado político de sua classe de capitalistas, que permitiu a existência do império daquele país até hoje, se construiu no embate feroz com a classe trabalhadora. No último quarto do século XIX, a classe trabalhadora americana era a mais numerosa, mais atuante e mais bem paga do planeta. As greves se contavam aos milhares em todo o país, apesar da repressão muitas vezes brutal.

Os grandes proprietários aprenderam a lição e passaram a agir como classe unificada, encarando a organização dos trabalhadores como seu maior inimigo. A Grande Depressão de 1929 obrigou a um recuo da força da grande propriedade privada organizada, que foi substituída pelo Estado na administração Roosevelt, à época dominado pelo compromisso de classes do *New Deal*. Regulado pelo Estado, ele se transformou no compromisso de classes social-democrata que irá caracterizar todo o capitalismo mundial do pós-guerra.

Com a morte de Roosevelt, volta a todo vapor a produção do consentimento, usada como arma da propaganda e da indústria cultural americana. É a fase da "caça às bruxas" do macarthismo, que terá em Hollywood e em toda a máquina da indústria cultural seus principais aliados. O objetivo mais importante continua a ser transformar o cidadão em consumidor e evitar a unidade da classe trabalhadora como agente político autônomo. A posição de poder da União Soviética ao final da Segunda Guerra Mundial, da qual sai como a grande vencedora contra o fascismo, além do quadro generalizado de pobreza e destruição, havia fortalecido todos os partidos comunistas europeus. Nesse contexto, a ameaça comunista possibilita concessões importantes aos sindicatos e melhoria real na vida dos trabalhadores em todos os países industrializados do Ocidente. A institucionalização do pacto de classes do *New Deal* passa a vigorar agora em todo o G7 e em toda a Europa Ocidental. Essa fase histórica equivale, nos Estados Unidos, à hegemonia do Partido Democrata construída por Franklin Roosevelt e, na Europa, aos partidos social-democratas, todos em aliança com o Partido Democrata americano.

A partir dos anos 1970, o crescente poder político das classes trabalhadoras leva a um pequeno mas crescente declínio nas taxas de lucro dos capitalistas das grandes potências. Como sempre, também a reação contra a queda da taxa de lucro começa nos Estados Unidos. A eleição de Richard Nixon em 1968 já prenuncia a decadência dos 36 anos de dominância do pacto do *New Deal*, mesmo que Nixon ainda faça concessões importantes aos trabalhadores. Para

Noam Chomsky, ele é, por conta disso, o último presidente do *New Deal*.[54] Essa reação do grande capital americano se baseia em uma estratégia dupla: promover tanto a guerra contra os pobres e as organizações da classe trabalhadora quanto a guerra dos pobres entre si e da classe trabalhadora entre si. A chamada "estratégia sulista" de Nixon já dá os primeiros passos na tática que consiste em se aproveitar de tensões étnicas para dividir os trabalhadores. Na prática, promovendo e fomentando a guerra entre os próprios trabalhadores. Aproveitando-se do ressentimento criado pelas conquistas das lutas pelos direitos civis da população negra, o Partido Republicano logra ganhar parte importante do eleitorado e dos trabalhadores sulistas, até então uma base eleitoral fiel do Partido Democrata. Já trabalham com Nixon nessa época pessoas que participariam da campanha de Donald Trump décadas depois, como Roger Stone.

A eleição de Ronald Reagan em 1980 (assim como a de Margareth Thatcher na Inglaterra) prenuncia um combate frontal à universalização do *New Deal* sob a forma de um neoliberalismo rearticulado em várias frentes pelo grande capitalismo americano. A guerra aberta contra os trabalhadores e suas organizações se dá em todas as frentes. Na frente militar, o Projeto "Guerra nas Estrelas" representa um ataque aberto ao inimigo soviético, obrigando um país já debilitado economicamente a assumir despesas extraordinárias na corrida pela militarização. Assim começa a pressão militar e econômica pela implosão do bloco soviético. A outra frente é o velho inimigo interno do capital, que são as organizações da classe trabalhadora. A destruição da forte tradição sindical das grandes potências ocidentais passa a ser um dos objetivos centrais dos governos neoliberais, como o de Margareth Thatcher, com sua guerra de morte aos sindicatos reivindicativos. Essa é a fase do toyotismo, em que há a tentativa de impor uma visão do sindicato como dedicação à empresa e a seus fins, típica da tradição japonesa, cooptando o trabalhador para a lealdade ao patrão e ao capitalista, e não mais a seus colegas.

Paralelamente à guerra contra os sindicatos, desenvolve-se com nova roupagem a velha estratégia de dividir para conquistar. Ela assume diversas formas, como a oposição entre trabalhadores brancos e negros ou de origens distintas. No contexto do neoliberalismo, o capitalismo tenta e consegue, com enorme sucesso, redefinir a noção de felicidade. Afinal, a crise do capitalismo dos anos 1970 envolvia não apenas a queda tendencial da taxa de lucro devido à crescente organização dos trabalhadores, mas também a crítica cultural radical da juventude em protesto. Um protesto que, pela primeira vez, não era por dinheiro ou pela justa compensação do trabalho, mas por uma vida mais significativa e mais livre para todos os indivíduos.

Esse protesto de novo tipo era "transclassista", rompendo famílias de burgueses e de trabalhadores em uma divisão geracional. Os filhos bem-educados do Estado de bem-estar social ganham autonomia e se expressam politicamente. Ronald Reagan, conservador pioneiro do neoliberalismo, enfrentava em casa a oposição da própria filha, militante das novas bandeiras. Face à crítica historicamente mais radical já formulada ao capitalismo pela geração "expressivista" dos anos 1960, o capitalismo tem que se reinventar radicalmente. Afinal, a ideia de um ser humano autêntico, ou seja, capaz de expressar sua personalidade individual como seu dever moral mais importante, é uma ameaça real a um sistema que prega que o dinheiro e a posse de propriedades são os valores humanos mais altos.

O grande feito do capitalismo financeiro, como mola propulsora do neoliberalismo e como embuste ideológico, foi se apropriar precisamente dessa concepção de felicidade radical e libertadora segundo seus próprios termos. Isso não se deu, obviamente, de um dia para o outro. Foi uma guerra ideológica incansável até que criatividade, emancipação e originalidade individual fossem repaginadas nos termos do capital financeiro. "Criatividade" se torna um recurso para gestão de pessoas e conflitos dentro da empresa, não mais uma aventura de autoconhecimento. "Originalidade" passa a ser um recurso gerencial definido de antemão para fins de lucro. "Emancipação" se transforma na farsa de que todos são agora empresários de si mesmos. Assim, o domínio do capital financeiro não é algo que se contraponha de fora aos indivíduos, mas, ao contrário, parte de dentro, da alma e das aspirações mais profundas do imaginário individual e social. É isso que explica sua incrível eficácia dissimulada e insidiosa.

Essa saída de poder se disfarçar de emancipação e liberdade foi uma benção para o neoliberalismo. Na realidade, o ataque à regulação econômica em nome da livre circulação de capitais e a globalização do capital financeiro apenas criaram uma incrível acumulação de recursos restrita aos muito ricos e sua "elite funcional", o hoje famoso 1% da sociedade. Isso porque, mesmo com um ataque frontal aos sindicatos e um bem organizado ataque à esfera pública pluralista – por meio da compra direta da imprensa corporativa para que se torne um veículo de pregação neoliberal –, a sociedade ainda se mantinha estranhamente apegada a ideias tidas como ultrapassadas pelo neoliberalismo radical, como liberdade, igualdade e fraternidade.

A solução foi recobrir o discurso neoliberal com a aura das lutas pela emancipação. A distinção de Nancy Fraser, ainda que meramente analítica,[55] entre distribuição e reconhecimento nos ajuda a compreender esse quadro.[56] A sociedade que se gera a partir do *New Deal* e da social-democracia pressupõe demandas de justiça dirigidas tanto à distribuição de bens e riquezas, sua dimensão econômica, quanto ao reconhecimento do pertencimento social, sua dimensão moral, baseada em liberdades e direitos. Essa distinção é puramente analítica, posto que também a dimensão econômica é perpassada por avaliações morais como o reconhecimento do trabalho útil e da dignidade do trabalhador. Tendo-se esse cuidado, no entanto, a distinção se mostra muito útil para a compreensão do neoliberalismo e de suas diversas manifestações concretas.

É que o neoliberalismo é, antes de tudo, um novo padrão de distribuição de riqueza e de renda. Ele retira renda e riqueza das classes trabalhadoras e da classe média e as transfere para os super-ricos e sua "elite funcional". Esse padrão de distribuição, no entanto, pode conviver com distintos padrões de demanda por reconhecimento. Pode conviver tanto com um padrão de reconhecimento ligado à proteção de valores conservadores, como a família patriarcal, o machismo, a homofobia e a xenofobia, quanto com valores progressistas, como a emancipação de minorias, a proteção do meio ambiente e o apoio à diversidade cultural e ao multiculturalismo.

A primeira onda neoliberal com Ronald Reagan não conseguiu, no país mais importante e decisivo – os Estados Unidos –, formar uma hegemonia de longo prazo a partir de uma agenda de reconhecimento arcaica e retrógrada. O impacto tanto do *New Deal* quanto da luta pelos direitos civis e da contracultura que a segue continuava muito forte e decisiva para a maioria da população. É nesse contexto que surge o "neoliberalismo progressista". A aparente contradição dessa noção significa, tão somente, a tentativa de revestir sua gigantesca desapropriação distributiva de bens e riqueza com uma versão "para inglês ver", cosmética e superficial, das políticas progressistas na dimensão do reconhecimento. A ideia era manter e, se possível, aprofundar a grande desapropriação neoliberal com dívidas públicas fabricadas para consumir todo o orçamento público, a flexibilização do fluxo de capitais, a virtual impossibilidade de cobrar impostos dos mais ricos e a crescente desigualdade de renda e riqueza, cobrindo-as com as roupas e as máscaras da emancipação e da igualdade. Enquanto a proteção ao meio ambiente se dirigia a medidas cosméticas que não substituíam a matriz energética, o multiculturalismo, pensado de maneira tópica e conjuntural, se tornava uma bandeira facilmente assimilável.

Mas a demanda que foi repaginada com os frutos mais insidiosos para a luta pela igualdade foi a luta pela inclusão das minorias perseguidas por motivos de gênero, orientação sexual e etnia. Na medida em que essas demandas foram incorporadas ao neoliberalismo progressista, ao custo de uma interpretação meritocrática da demanda por igualdade, elas passaram a se dirigir e efetivamente integrar, na coalizão dominante, todas as vítimas de perseguição "que já detinham condições privilegiadas" pela sua própria condição de classe. Como diz Fraser:

> *A redução da igualdade à meritocracia foi especialmente fatal. O programa neoliberal progressista em busca de uma ordem baseada apenas em status não tinha o objetivo de abolir a hierarquia social, mas "diversificá-la", "empoderando" mulheres "talentosas", pessoas não brancas e minorias sexuais para atingirem o topo. Esse ideal é em si mesmo voltado a apenas certo recorte de classe, ajustado para assegurar que indivíduos "merecedores" de grupos "pouco representados" alcancem posições e estejam no mesmo patamar dos homens brancos e heterossexuais de sua própria classe. A variante feminista é reveladora, mas, infelizmente, não é a única. Concentrada em estimular profissionais do sexo feminino a investir na carreira, a almejar posições de liderança e a lutar contra o machismo no ambiente de trabalho, suas principais beneficiárias só podem ser aquelas que já possuem o capital social, cultural e econômico necessário. Todas as outras pessoas ficam excluídas.*[57]

Desse modo, de Clinton a Obama, a nova versão repaginada do neoliberalismo progressista conseguiu, com muito sucesso durante certo tempo, disfarçar sua política desapropriadora e geradora de desigualdade crescente com uma pauta aparentemente igualitária e emancipadora. Inclusive a "terceira via" de Clinton nos Estados Unidos, Blair no Reino Unido e Schröder na Alemanha logrou maior efeito destrutivo sobre o aparato protetor do *New Deal* e a social-democracia do que qualquer governo abertamente conservador antes deles. A aliança de classes que os apoiava conseguia o milagre de abarcar a fina flor de Wall Street, do Vale do Silício, da máquina manipuladora de Hollywood e seus congêneres – os "trabalhadores simbólicos" da criatividade e da originalidade para o capital –, além das forças hegemônicas da "diversidade cultural" vendida como emancipação.

No Brasil, essa política foi a base para o "choque de capitalismo" de FHC e da fase áurea de dominação ideológica do PSDB. Para a elite paulista, essa também foi a época de ouro, quando foi possível, pela primeira vez, conciliar seu domínio econômico expropriador com uma capa ideologicamente convincente – pelo menos por algum tempo. Sob o aspecto da distribuição, os anos FHC mostram uma continuidade impressionante de seus colegas da "terceira via". A principal política foi tornar o Brasil um membro pleno do fluxo de desapropriação do capital financeiro internacional. É nesse contexto que se deve entender o Plano Real, já que os rentistas querem lucro líquido e real e a inflação atrapalha esse tipo de cálculo. A consequência "virtuosa" do Plano Real, embora não intencional, foi o efeito redistributivo para a população como um todo, que se viu livre do "imposto inflacionário".

Mas é com FHC que se constrói a dívida pública como a conhecemos hoje, cuja fonte sempre foi e continua secreta, na ausência de uma auditoria. Esse fato desperta a suspeita bem fundada de pesquisadores como Maria Lúcia Fattorelli, entre outros, sobre sua origem corrupta – na verdade, a "real corrupção" brasileira, que a corrupção dos tolos, aquela só da política, visa invisibilizar. Com FHC, o Brasil entra definitivamente no mercado mundial da globalização realizada a partir da "confederação de credores" unidos, que se apropriam de toda a poupança social e de todo o orçamento público composto pelo conjunto de impostos. A partir de então, os impostos deixam de servir à população e passam a servir aos bancos e a seus investidores, internos e externos, em títulos "fabricados" de suposta dívida pública. A imensa rentabilidade desses títulos solidifica o lugar dominante da fração financeira do capital. A partir daí, todos os capitalistas do agronegócio, da indústria e do comércio conseguirão boa parte de seus lucros através da "ciranda financeira" que expropria toda a população em nome do 0,1%.

A força da expropriação da sociedade via dívida pública se consolida enormemente com o apoio da "nova esquerda" e da "terceira via". Ela serve em grande medida para ocultar os mecanismos que regem a nova ordem que se cria. Com a liberalização dos fluxos de capital em escala planetária, possibilita-se a formação de uma dominação factual da expropriação financeira em benefício do 0,1%, da qual nenhum governo pode mais se proteger adequadamente. Constrói-se a partir daí, na realidade, uma "confederação de credores" que impõe sua vontade, retirando do âmbito da política parlamentar tradicional a possibilidade real de regular a atividade econômica de sua própria população. O grosso da política econômica passa a ser decidido pelos bancos centrais, controlados, por sua vez, pelos grandes bancos, os verdadeiros agentes e intermediários dos "credores unidos". É nesse contexto que se pode compreender por que a imprensa brasileira, vendida aos bancos e a esse mecanismo, defende tanto a "independência" do Banco Central. A independência é obviamente em relação à política e à soberania popular, para que a dependência da sociedade em relação aos bancos seja total.

Essa situação motiva analistas como Wolfgang Streeck a falar de uma apropriação prática de boa parte da "soberania popular", precisamente pelo mecanismo de expropriação econômica e política via dívida pública e pela crescente autonomia dos bancos centrais.[58] Como o fluxo de capitais é livre, a ameaça da retirada súbita de capital de um país funciona como uma declaração de guerra de uma potência atômica contra uma sociedade desprotegida. Desse modo, o capital financeiro controla, de fato, as decisões mais importantes na economia sem qualquer controle político e democrático efetivo. Ainda que existam outras formas de desapropriação da riqueza coletiva em favor do 0,1%, nenhuma é tão potente e tão invisível quanto a dívida pública, cujos mecanismos são "secretos" – certamente por uma boa razão. Foi esse esquema de exploração econômica que primeiro os pioneiros, Reagan e Thatcher, e depois deles, com inaudito sucesso, os neoliberais "progressistas" lograram construir e legitimar. O eufemismo de "desregular" a atividade financeira tem, na realidade, o sentido de eliminar qualquer controle e limite democrático de proteção social.

Como no caso de FHC, no Brasil, a aliança de classes possível vai abranger, no seu núcleo, o estrato rentista – toda a classe de proprietários –, além de sua "elite funcional" da alta classe média e de seus aliados no próprio mercado, nos diversos poderes do Estado, na imprensa e na esfera pública. Além deles, entram os "trabalhadores simbólicos" do novo espírito do capitalismo e o jogo de cooptar as minorias integrando seus estratos privilegiados à estrutura dominante. O Plano Real conferiu, incialmente pelo menos, apoio popular a esse projeto e garantiu a reeleição de FHC. O governo de FHC foi a vingança tardia da elite paulista defenestrada do poder por Getúlio Vargas. Dessa vez não apenas por interposta pessoa, seja via os "anéis burocráticos" ou por presidentes nordestinos, mas pelo melhor representante de sua "elite funcional".

Finalmente a República Velha volta a ter um representante orgânico, garantindo, nas novas condições históricas, a manutenção de sua regra de ouro: a preservação do Estado e do orçamento público para o saque privado da elite. Pela primeira vez a República Velha renascida podia se abster de criminalizar a soberania popular – sua outra regra de ouro. Com FHC o discurso elitista teve pela primeira vez alcance popular. FHC conferia a aparência de modernidade e progressismo, com a adaptação do discurso da "terceira via", ao caso brasileiro: apoio formal às minorias e às demandas abstratas por direitos humanos. Na dimensão econômica, os efeitos da desindustrialização pela aplicação ortodoxa do rentismo logo se fizeram sentir, atingindo em cheio a classe trabalhadora.

A eleição de Lula, conseguida à custa de vários compromissos, de início apenas continua o pacto rentista. Lentamente, entretanto, partes crescentes do orçamento público são dirigidas a programas sociais pioneiros no Brasil. Pela primeira vez, os setores desorganizados e excluídos, abaixo da classe trabalhadora do mercado competitivo,[59] são contemplados politicamente. O programa Bolsa Família, além de vários outros de sentido semelhante e de 70% de reajuste real no salário mínimo, aumenta consideravelmente o poder de compra dos mais pobres. Começa aqui o que passou a ser conhecido como lulismo,[60] ou seja, a arregimentação eleitoral da lealdade dos mais pobres, antes eleitores fiéis da direita conservadora dos grotões do Brasil. Em um país de pobres, sua fidelidade prometia a perpetuação do PT no poder.

Lula transcendia os limites do neoliberalismo e de sua oposição conservadorismo/progressismo. Investimentos maciços em educação e melhoria e universalização dos serviços públicos fariam o país viver, pela primeira vez, uma atmosfera social-democrata de crescente conquista de direitos e aumento do consumo popular. Essa mudança histórica da política brasileira se dava sem a destruição do pacto rentista com as elites. O boom das commodities assegurava que tanto os mais ricos quanto os mais pobres pudessem florescer no pacto lulista. Com a antevisão do fim da época de bonança causada pelo extraordinário crescimento econômico chinês, a descoberta do pré-sal se mostrava seu substituto ideal. Com uma vantagem importante: o pré-sal poderia ser a base para uma nova matriz econômica com investimentos maciços em infraestrutura e criação de empregos.

Na mesma época, avançavam as negociações para o aprofundamento dos BRICS, como um alinhamento econômico importante das potências do Sul global diretamente contra o espírito do imperialismo informal americano fundado na manutenção do status quo mundial em favor do Norte global. Já aqui a aventura de desenvolvimento autônomo brasileiro passava a ser vista tanto como ameaça quanto como butim para o saque do capitalismo americano.

Mas é Dilma Rousseff quem explode o arranjo multiclassista do lulismo. O imperativo de reorganizar o desenvolvimento brasileiro a partir de sua consequente reindustrialização encontra a oposição de toda a elite, inclusive da própria fração industrial, em nome da qual a mudança do pacto de classes se daria. O ataque aos juros estratosféricos responsáveis pela transferência de recursos de toda a população ao 1% de rentistas é definido como prioridade do governo de Dilma. Além disso, como bem nota Bresser Pereira, que conhece por dentro o coração da elite brasileira, foi fatal a decisão da presidenta de coibir os abusos dos lucros escorchantes nas parcerias público-privadas. Dilma atacou o lucro fácil da elite de endinheirados que controla o mundo dos negócios e da mídia e que compra os poderes legislativo e judiciário.

A revolucionária denúncia do pacto elitista e rentista por Dilma Rousseff teria eventualmente garantido seu apoio popular se não se tivesse permitido que a mesma mídia elitista "esclarecesse" a população, nos seus termos, sobre as razões da disputa que se empreendia. A correção, pelo menos da direção geral da política macroeconômica de então, teve como contraponto a fragilidade na construção de uma nova hegemonia política. Fatal se mostraria, como vimos, a gestação, no Ministério da Justiça da presidenta, das leis de exceção, supostamente destinadas a combater a corrupção, especialmente a prisão preventiva por tempo indeterminado, e desenhadas com precisão de alfaiate pelo *deep state* americano para sua nova estratégia de golpes de Estado "jurídicos".

O raciocínio deve ter sido mais ou menos o seguinte: "Se a presidenta não tem com que se preocupar em termos de corrupção, então também podemos ser protagonistas nesse campo." A Lava Jato foi cevada e alimentada por um aparato legal que lhe permitiria depois, com a conivência da imprensa elitista, pavimentar o caminho não eleitoral para a derrocada do PT e da democracia brasileira. Aqui se mostra, de modo fatal, como o domínio das ideias do pseudomoralismo de ocasião da elite brasileira opera na cabeça da própria esquerda com consequências sempre desastrosas. Trata-se de uma esquerda sem a menor ideia da importância da "moralização do racismo" que o discurso, obviamente falso e seletivo, do combate à corrupção, sempre e apenas ao se referir às políticas populares, embute desde seu início.

O ministro da Justiça José Eduardo Cardozo, inclusive, publicaria artigos de jornal,[61] em meio aos protestos contra o governo Dilma, nos quais defendia a ideia de que o povo brasileiro é culturalmente corrupto e de que a corrupção é generalizada no Brasil. Nada melhor para a Lava Jato, para os americanos e para a elite brasileira, que levaram décadas para implantar essa ideia vira-lata e absurda na cabeça dos brasileiros. Uma ideia que só serve para moralizar a opressão de classe e de certos países sobre outros, invisibilizando a corrupção ilegal e legalizada na economia e na relação da economia com a política. O governo Dilma enfiou no próprio ventre a faca envenenada da balela da corrupção patrimonialista construída unicamente, como vimos, para criminalizar os partidos populares. As leis de exceção que transformaram a Lava Jato em uma máquina golpista aliada à imprensa elitista foram todas construídas com o apoio do Ministério da Justiça petista. A partir daí, com o campo popular literalmente sem defesa, posto que ele próprio envolto no falso moralismo, o golpe era uma questão de tempo.

Esse fato nos mostra a importância visceral de uma narrativa e de uma interpretação da sociedade verdadeiramente críticas da hegemonia elitista, que não reproduzam ideias construídas apenas para fragilizar seu inimigo político. Falta ao campo da esquerda entre nós, ainda marcado pela lama do falso moralismo até o pescoço, perceber que as ideias prescrevem e marcam "hierarquias morais". No Brasil elitista, a "corrupção patrimonial", por mais imbecil e imbecilizante que essa ideia seja, é o centro da narrativa e o valor máximo. Quando tanto Ciro Gomes quanto Fernando Haddad, na última campanha presidencial, elogiaram Moro e a Lava Jato, eles imaginaram, ingenuamente, que estavam fazendo uma concessão à classe média moralista, cujos votos também eram necessários para sua vitória. Bastaria então se concentrar nas outras questões, como emprego, educação, etc.

Ledo engano. Só se poderiam utilizar as outras questões depois de ter enfrentado – e era possível fazê-lo mostrando as ambiguidades da Lava Jato e o papel de invisibilização da corrupção real do arranjo rentista – a questão central da narrativa reacionária. Em relação a ela, todas as outras questões são menores e hierarquicamente inferiores no discurso elitista hegemônico. O falso moralismo é o centro, o núcleo da única narrativa elitista e reacionária no Brasil. Como a maior parte da esquerda – dolorosa verdade – ainda pensa com as categorias e segundo a narrativa do inimigo, essa é a razão real da fragilidade e da ambiguidade de seu discurso.

A gênese americana da destruição do sonho brasileiro

O problema do neoliberalismo progressista é que ele apenas finge o seu "progressismo" para melhor vender a desapropriação neoliberal. Com o tempo, as pessoas se cansam de ouvir os discursos de integração das minorias de Clinton e de se regozijar com o feito simbólico de ter um presidente negro. A população quer que a vida melhore, que seu poder de compra aumente, quer ter esperança no futuro e acesso a um emprego seguro e a um bom salário. Isso é cada vez mais difícil, inclusive nos ricos Estados Unidos, para um grande número de pessoas, muito especialmente para a classe trabalhadora da antes poderosa indústria americana. As promessas não realizadas do neoliberalismo progressista deram margem ao surgimento de uma "nova direita", a direita que assumiu o poder com Trump e que foi decisiva para a vitória de Bolsonaro no Brasil.

Por que essa direita é nova? No que ela difere da anterior e de sua produção do consentimento? Vimos anteriormente que o capitalismo americano, sob o comando de sua fração industrial, havia decidido empreender uma guerra inteligente contra sua aguerrida classe trabalhadora. Uma guerra que combinava altos salários com a manipulação do consentimento, prometendo afluência ao consumo no futuro em troca da desmobilização política. Edward Bernays foi uma figura exemplar nesse contexto histórico.

A recessão de 1929 e o *New Deal* rooseveltiano contrabalançam de maneira decisiva a supremacia da grande propriedade e impõem compromissos de classe que duram pelo menos até a eleição de Nixon e, depois, de Reagan. É aqui que entram em cena o neoliberalismo e suas contradições. Indissociável desse momento é a hegemonia do capital financeiro, que subordina o capital industrial aos seus próprios termos. Aqui se rompe o compromisso de classes do *New Deal*, o qual estava ancorado na força do Estado-nação e na limitação política do raio de ação da economia. Já com Nixon, que substitui o padrão ouro pelo dólar, mas decisivamente com Reagan, passa a existir uma guerra aberta contra a tradição do *New Deal* e dos limites para o fluxo de capitais. A derrubada das restrições à livre circulação de capitais cria um capitalismo de outro tipo. Os Estados nacionais perdem sua força relativa face à pequena elite que controla a economia mundial. Os grandes investidores unidos agora podem ameaçar os Estados nacionais com a evasão de riquezas, e não mais o contrário.

Esse desenvolvimento leva, por sua vez, à evasão de impostos em escala gigantesca, com a criação de uma rede paralela de paraísos fiscais que passa a esconder e lavar o dinheiro que se oculta do fisco em todo o planeta. Os Estados nacionais se enfraquecem em sua capacidade decisiva de cobrar impostos e os "financistas unidos" passam a criar as próprias regras a partir do eufemismo da "desregulação da economia". Na verdade, "desregular" a atividade financeira é simplesmente abdicar de qualquer controle e abrir as portas para a corrupção estrutural desse sistema. Paralelamente, como perdem crescentemente sua principal fonte de arrecadação na base de impostos, os Estados são obrigados, agora, a "pedir emprestado" o que antes recebiam sob a forma de impostos. Esse fato cria as dívidas públicas, virtualmente impagáveis, de hoje em dia, que passam a presidir o processo político e todas as suas escolhas. É isso que Wolfgang Streeck chama de "apropriação da soberania popular" construída nos respectivos bancos centrais – como sabemos muito bem, meras linhas auxiliares do poder bancário e financeiro mundial.

O esquema de expropriação econômica funciona como um mecanismo que vampiriza não só todo o trabalho social, por meio dos juros – no Brasil, abusivos –, embutidos em tudo que compramos, mas também todos os impostos que antes iam para educação, saúde, ciência, segurança pública, etc. A limitação dos gastos públicos em todas as áreas por Michel Temer veio atender, precisamente, às expectativas desse pessoal. Isso tudo com uma dívida secreta que, obviamente, como sabemos por estudos sérios e competentes, é criada artificialmente por corrupção pura e simples. A corrupção real da elite que ninguém, em nenhum jornal da elite, menciona. As sociedades perdem poder aquisitivo de modo crescente e o lucro dos rentistas que vivem de juros aumenta exponencialmente.

Esse é o contexto econômico da grande desapropriação neoliberal – operada em grande medida por meios financeiros e invisíveis pela maior parte da população – que o neoliberalismo progressista queria legitimar a partir de concessões cosméticas às minorias já marcadas pelo privilégio de nascença e de classe. Com o tempo, esse embuste deixa de funcionar. Foi o que motivou a estratégia de campanha de Donald Trump. Em seu embate com o Partido Democrata, que já havia destruído, com Clinton e Obama, o que restava do *New Deal*, o Partido Republicano representou sempre a alternativa do neoliberalismo conservador clássico. Os valores conservadores de "proteção" da família cristã, a oposição ao aborto, a luta pelo Estado mínimo, a defesa do livre comércio, a crença no mercado como forma de regulação dos problemas sociais e uma concepção meritocrática da igualdade sempre foram a base desse tipo de neoliberalismo.

A dupla eleição de Obama e as perspectivas de eleição de Hillary Clinton em 2016 operaram uma importante mudança no âmbito do Partido Republicano, uma mudança que já vinha sendo gestada desde muitos anos antes. Como já vimos, a consciência da importância da hegemonia de ideias sempre marcara as elites americanas. Para dominar os trabalhadores, urgia associar propaganda e manipulação, transformando o imaginário social em uma grande Hollywood que vende distração e sonhos impossíveis.

É certo também que, mesmo sendo obrigada a engolir suas medidas, boa parte da elite americana nunca gostou do *New Deal*. Ao se estudar a origem familiar dos grandes bilionários que passaram a movimentar fortunas inteiras para construir o "libertarianismo" – o eufemismo para caracterizar a extrema direita americana –, constata-se que todos eles são herdeiros de milionários que odiavam Roosevelt e o que o *New Deal* representava.[62] Muitos ansiavam por destruir sua influência e viram no sucesso da candidatura de Reagan um bom prenúncio de uma nova fase.

Para vários deles, mesmo Reagan era muito "suave". Ele não atacava frontalmente o auxílio estatal aos pobres, por exemplo, preferindo acusar os que "burlavam" o Estado de bem-estar, utilizando os programas de assistência mesmo quando não mais precisavam deles. Não era isso que esse pessoal queria. A "revolução libertária" – que usa eufemismos que significam o contrário do que sãoß – devia significar que o papel do Estado seria unicamente o de proteger e alavancar os negócios, mesmo que à custa da vida e da saúde dos cidadãos. Gastar dinheiro com os mais pobres, proteger o meio ambiente, regular a vida econômica, subsidiar a saúde e a educação: o Estado não faria mais nada disso. Antes, nem mesmo os conservadores refutavam completamente a regulação social e política da economia quando esta fosse destrutiva. Mas essa era precisamente a ideia dos "libertários". A questão era: como organizar tamanha "revolução cultural" reacionária e conservadora na pátria do *New Deal*?

A estrutura atual do ambiente político americano – com enorme influência no Brasil de hoje, como iremos ver – teve início, na verdade, muito antes. A década de 1970 marcou os anos de ouro da contracultura nos Estados Unidos, que, nessa época, desfrutavam da melhor distribuição de renda de sua história. Essa situação se devia a uma extraordinária conjunção de fatores, como a hegemonia do Partido Democrata, o partido do *New Deal*, e uma atividade sindical ainda muito significativa, aliados a uma série de novos movimentos sociais que surgiam com grande força, como a defesa do consumidor, a proteção do meio ambiente, a luta pelos direitos civis e a mobilização contra a Guerra do Vietnã.

No entanto, nem todo mundo estava contente com essas transformações, muito especialmente o grande negócio corporativo americano, que se via acuado por legislações crescentemente regulatórias e protetoras em relação tanto ao meio ambiente quanto às condições de trabalho. Por último, mas não menos importante, houve ainda um aumento na carga tributária sobre lucros e heranças. É nesse contexto que Lewis Powell, um advogado da grande empresa de cigarros americana Phillip Morris que mais tarde se tornaria juiz da Suprema Corte pelas mãos de Richard Nixon, lançou em 1971 um memorando,[63] hoje famoso, dirigido à Câmara de Comércio americana. O documento causaria furor entre os grandes bilionários conservadores e reacionários americanos.

É importante, primeiro, reconstruir o contexto do memorando de Powell. Na época em que ele era diretor da Phillip Morris, entre 1964 e 1971, antes de ser nomeado para a Suprema Corte, a relação entre o tabagismo e o câncer se tornou conhecida. Um amplo debate nacional se seguiu, com posições contra e a favor do consumo de cigarros. Powell, obviamente um ferrenho defensor da "causa" de sua companhia, lamentava que os supostos "efeitos positivos" dos cigarros à saúde não tivessem o mesmo espaço na esfera pública que o movimento antitabagista estava começando a conquistar. Quando suas demandas legais não foram atendidas nos tribunais, ele passou a alegar a existência de uma ameaça difusa e total contra o capitalismo americano.

Powell conclama todo o mundo empresarial americano a nada mais, nada menos, do que uma "guerra" pela própria sobrevivência. O ponto mais significativo do argumento de Powell é que ele não acusa a esquerda ou grupos radicais, mas aquilo que havia se tornado a "opinião respeitável" americana. Ele afirma que a cultura *mainstream* e hegemônica americana, aquela que se localiza nos campi universitários, nos púlpitos das igrejas, na mídia dominante, na ciência, na política e nas cortes judiciais, está impregnada de um veneno progressista que ameaça de morte o capitalismo americano. Como se trata de uma influência difusa e generalizada, ela tem que ser combatida com tenacidade militar e a inteligência de uma "guerra de guerrilha".

Como costuma acontecer com as ideias que chegam no momento certo para interpretar interesses comuns ainda inarticulados, o memorando de Powell eletrizou toda uma geração de bilionários reacionários, já filhos de pais reacionários, a empreender uma guerra, primeiro de guerrilha e depois aberta, contra o país igualitário e combativo de então. Sua mensagem chega aos ouvidos especialmente receptivos dos herdeiros de indústrias sujas e poluentes, como fabricantes de armas, produtos químicos, mineração e petróleo. Esses setores, que terão lucros crescentes a partir de então devido a cortes de impostos e à suspensão das pesadas multas por agressão ao meio ambiente, serão os principais financiadores da "revolução reacionária do libertarianismo".

Se Powell foi o autor do "manifesto comunista", o Karl Marx dos libertários reacionários americanos, ele logo encontrou os seus "Lênins" para implementar na prática sua revolução. Um deles foi Michael Joyce, que havia estudado Antonio Gramsci para aprender estratégias de produção de hegemonia cultural. A Joyce, tido por quem conhece seu trabalho como "uma das pessoas obscuras mais importantes do século", coube desenvolver a estratégia principal da direita reacionária, que foi converter a filantropia em arma ideológica. De algum modo, isso já existia desde John D. Rockefeller, que havia conseguido polir a própria imagem com doações importantes. Mas o que tivemos com Joyce foi um jogo de outro tipo.

Com o dinheiro da família Olin, fabricante de armas e munições que enriqueceu a partir de encomendas estatais e que havia sido obrigada a pagar pesadas multas por contaminar com mercúrio o rio Niágara, em Nova York, Joyce construiu uma ampla estratégia de luta ideológica disfarçada – depois copiada por outros herdeiros. Conhecendo o poder das ideias quando elas se revestem de um verniz de respeitabilidade, a intenção de Joyce era conquistar terreno nas principais universidades americanas, as universidades da chamada Ivy League, as de melhor reputação, como Harvard, Yale, Cornell e Columbia. Essa abordagem foi chamada de "estratégia cabeça de praia" (*beachhead*), em alusão à tática militar de conquistar um pedaço de terra inicial que possa servir de suporte para uma invasão maciça mais tarde.

Como se imaginava que as universidades fossem a fonte do "conhecimento de esquerda" ou "liberal" – no sentido americano, essa palavra, ao contrário do que ocorre no Brasil, identifica alguém de posição social-democrata ou de esquerda –, a ideia era inicialmente cooptar professores já conhecidos como conservadores e reacionários e municiá-los com muito dinheiro para a propaganda reacionária dentro das próprias universidades. Isso daria a impressão de uma atividade acadêmica "espontânea", não comandada de fora. Com o tempo, a partir da "cabeça de praia" conquistada, ia-se avançando até o controle de departamentos e áreas de pesquisa inteiros. Com o apoio das universidades e de seu prestígio, abria-se o caminho para a criação de *think tanks* e "institutos de políticas públicas", que, então, influenciavam diretamente o governo e a opinião pública.

A estratégia "cabeça de praia" significa que, para que possam ter sucesso na "guerra das ideias", os interesses reacionários não podem se mostrar enquanto tais. Ao contrário, precisam parecer "ideias neutras", que devem ser assimiladas pelo princípio da própria pluralidade universitária e do debate público. Alguns exemplos ilustram bem o sucesso e o modus operandi dessa estratégia.

Um programa inteiro de estudos jurídicos, para desviar o estudo do Direito da sua relação com a justiça social e aproximá-lo, ao contrário, das relações custo-benefício do mercado, foi chamado de "Law and Economics" – e ainda ganhou credibilidade com a ideia positiva da interdisciplinaridade. Foram investidos, só através da Fundação Olin, 68 milhões de dólares em universidades como Harvard, Yale, Columbia e Cornell. Só Harvard recebeu 18 milhões. A partir do sucesso da operação em seus campi, outras universidades seguiram o modelo.

Mas Law and Economics não se tornou apenas uma nova área de estudos, com dinheiro jorrando sem parar nas universidades mais tradicionais dos Estados Unidos. Ela passou também a ser debatida pelos juízes americanos em seminários de vários dias ou semanas, seguidos de grandes jantares, normalmente em praias aprazíveis como Key Largo, na Flórida. Com o tempo, os debates sobre Law and Economics se tornaram férias não pagas de pelo menos 660 juízes americanos, ou o equivalente a 40% do poder judiciário daquele país. A forma de enxergar a prática da justiça e do Direito começava a ser reformulada a partir de dentro, no interesse das corporações e com seu impulso, dando a todos a impressão de que se estava lidando com uma "reflexão espontânea da academia". Juízes que se tornariam ministros da Suprema Corte, como Ruth Bader e Clarence Thomas, eram figurinhas carimbadas nesses encontros.[64]

Os exemplos de casos de sucesso de mudança de paradigma, primeiro na ciência e depois na esfera pública e nas políticas públicas, são inúmeros. Utilizando-se do mesmo procedimento e das mesmas fontes de financiamento, o livro *Losing Ground* (Perdendo terreno), de Charles Murray,[65] reputado como um dos mais influentes do século XX, reportava, como se fosse um lamento sincero, o fracasso da política social americana entre 1950 e 1980. Murray lamentava que os esforços do Estado de bem-estar social americano houvessem criado tão somente uma "cultura da dependência do pobre" dos favores estatais. O mesmo tipo de argumento que seria usado no Brasil anos depois, combatendo o Bolsa Família. Reagan não chegou, como vimos, a se comover com a leitura. Clinton, ao contrário, considerou o livro "essencialmente correto", assim como vários políticos da esquerda brasileira consideraram "essencialmente correto" o trabalho sujo do juiz Moro.

Samuel Huntington, um dos mais conhecidos cientistas políticos americanos, também foi beneficiado pelo mesmo dinheiro. Ele recebeu 8,4 milhões de dólares apenas da Fundação Olin, a cargo de Joyce, para defender uma versão especialmente militarizada e agressiva da política externa americana. O seu best-seller *O choque de civilizações*, já citado, é um exemplo acabado desse ponto de vista, influenciando mundialmente o debate das relações internacionais.

Dos 88 pupilos que trabalhavam com ele no programa, 56 passaram a ensinar em universidades e centros de pesquisa.

Mas provavelmente, entre os que atenderam ao chamado de Lewis Powell, ninguém foi mais longe que os irmãos Koch. Também filhos de um pai conservador que admirava e apoiou os esforços de Hitler na construção de sua infraestrutura petrolífera, os Koch herdaram um complexo petrolífero e químico que se tornou rapidamente o maior poluidor individual dos Estados Unidos. Nenhuma empresa produzia tanto lixo tóxico quanto suas companhias. Pesadas multas foram o preço inicial de seus desmandos. Os Koch também foram pegos roubando petróleo de terras indígenas. Eles viam leis e regulamentos unicamente como empecilhos à "livre iniciativa" e decidiram investir pesado para defender essa visão.

Charles Koch era engenheiro de formação e imaginou uma "linha de produção" para propagar as ideias "libertárias" de Friedrich Hayek, a quem admirava desde jovem, e outras ideologias em seu benefício. Primeiro, era necessário ter "matéria-prima": as ideias dos intelectuais que se mostrassem úteis. Em segundo lugar, vinham os investimentos em *think tanks*, que transformavam essas ideias em políticas públicas concretas e projetos de lei. Em terceiro lugar, finalmente, vinham os "movimentos sociais" e associações de cidadãos, na verdade pagos por ele, para pressionar a mudança de leis e a condução da política. Foi criada toda uma linha de montagem "libertária" e reacionária. Para os Koch, o planejamento era fundamental. E a linguagem a ser usada era a dos "direitos" – os direitos corporativos, evidentemente. Primeiro vinha a ideologia, e só depois as eleições e a compra direta da política.

A negação do aquecimento global é uma de suas bandeiras principais – tema essencial para o grupo Koch Industries, que se tornou o segundo maior produtor americano de carvão, petróleo, Lycra, carpetes e produtos químicos. *Think tanks* e associações de cidadãos financiados por esse conglomerado ganham nomes de fachada que lembram a tradição comunitária americana – a mesma tradição de todos os institutos e organizações reacionários que possuem nomes como Americans For Prosperity ou Citizens United –, a verdadeira inspiração para falsos movimentos populares como o MBL no Brasil, anos mais tarde.

Os pontos de vista que não podiam ser transmitidos democraticamente precisavam ser embalados no seu contrário para que se pudesse promover uma "mudança de visão". Os Koch passaram a financiar regiamente qualquer esforço com possibilidade de sucesso para desmantelar a legislação protetora do meio ambiente nos Estados Unidos. Combinado a esse esforço, seguia o financiamento de grupos de pressão de "cidadãos" e do mais bem aparelhado escritório de lobby de Washington. Por fim, eles passaram a ser um dos maiores doadores das campanhas republicanas no país, tendo logrado mudar as bandeiras partidárias clássicas de acordo com seu interesse. Mais de uma centena de deputados que deviam sua eleição ao apoio maciço dos Koch se comprometeram com eles a lutar contra as políticas de proteção do meio ambiente. Uma bancada como a que tinha Eduardo Cunha na época das pautas-bomba contra Dilma Rousseff.

O sucesso de Koch em acabar com a regulação do meio ambiente e com impostos sobre a indústria petrolífera foi tal que sua companhia é tida como a mais lucrativa da economia americana. A fortuna dos irmãos somada ultrapassa os 100 bilhões de dólares – e a curva é ascendente. Os Koch são o melhor exemplo de como bilionários inescrupulosos podem comprar a política e impor a defesa de seus interesses privados. Em um raciocínio cínico, não existe melhor negócio que comprar a política, e os lucros estratosféricos dos Koch são a melhor prova disso. Talvez ninguém tenha feito tanto para mudar o Partido Republicano por dentro, trocando a agenda conservadora clássica pelo "libertarianismo reacionário". Os Koch chegam à disputa de 2016 pela presidência americana com o dobro do dinheiro que os partidos Democrata e Republicano em conjunto haviam investido na eleição de 2012. A soma chegava a mais de 800 milhões de dólares – dinheiro deles e de mais de 500 investidores que agora apostavam também nas delícias do "libertarianismo".

Quando chegou a eleição de 2016, todos os candidatos republicanos à presidência, com exceção de Trump, estavam no bolso dos Koch. Segundo Steve Bannon – chefe e principal articulador da campanha de Trump, depois um de seus auxiliares mais próximos até perder visibilidade mais recentemente –, ninguém teria sido mais importante para o sucesso da "revolução trumpiana" do que Robert Mercer – inclusive mais do que os Koch. Veremos mais tarde que mesmo assim os Koch parecem ter ficado com as melhores cartas no governo de Trump. De fato, depois do envolvimento de Paul Manafort, seu chefe de campanha anterior, com os oligarcas russos e ucranianos que estariam supostamente alimentando a campanha com dinheiro, Trump foi obrigado a demiti-lo sem ter um plano B. Foi aí que Rebekah Mercer, filha do co-CEO de um grande *hedge fund* e multimilionário Robert Mercer, entrou em cena. Ela contatou Trump e disse que queria apoiar sua campanha. Ela e o pai podiam, inclusive, montar toda uma nova equipe de campanha encabeçada por Steve Bannon. A partir daí foi a equipe dos Mercer que passou a comandar a campanha de Trump. Esse ponto é fundamental, posto que aqui temos a semente, também, da campanha brasileira de Bolsonaro.

Com Bannon, os Mercer geriam a máquina política mais à extrema direita de todo o espectro da direita conservadora e reacionária americana. Eles haviam se encantado anos antes com um amigo de Bannon, Andrew Breitbart, um ultraconservador que tinha a intenção de atacar o solo da mídia tradicional – com base em reportagens fáticas e comprovadas – e fundar uma fonte alternativa de informação à extrema direita – baseada no uso volitivo e consciente de *fake news* e desinformação como forma de difundir sua visão de sociedade. Os Mercer injetaram dinheiro no site Breitbart News, mas Andrew morreu logo depois. Foi aí que Steve Bannon, antes um operador de *hedge funds*, assumiu o controle da empreitada e tornou o Breitbart News um mecanismo difusor de racismo e nacionalismo econômico, transformando e radicalizando o cenário da direita americana tradicional e mesmo da sua versão "libertária" mais extremista.

Foi com Steve Bannon que os Mercer encontraram formas de influenciar decisiva e concretamente a política americana. A aliança aqui é entre o dinheiro de Robert Mercer – cerca de 1 bilhão de dólares de patrimônio e lucro líquido de 150 milhões de dólares anuais – e as ideias de Steve Bannon. Eles não odiavam apenas o Estado e sua tarefa de proteger a sociedade, muito especialmente quando interferiam nos lucros das suas empresas, como no caso dos irmãos Koch. Os Mercer e Bannon odiavam também os pobres e os que viviam da ajuda do Estado, além de serem abertamente racistas. O site Breitbart News tinha um quadro permanente chamado de "Black crime" (crime negro), destinado a angariar o apoio das hostes racistas americanas.

Os Mercer aparelharam os mecanismos de intervenção política a partir do comando de Steve Bannon. É com ele que as visões radicais dos Mercer passam a ganhar efetividade. Sob a direção de Bannon, os Mercer haviam criado também o Government Accountability Institute (Instituto para a prestação de contas do governo), seguindo o esquema clássico de forjar nomes que evocam as virtudes morais que, no entanto, são precisamente o que se quer destruir. Esse instituto basicamente serviu para reunir todas as alegações contra os Clinton e depois expô-las sob a forma de livro, artigos de jornal e até filmes lançados em Cannes. Foi o extraordinário sucesso do jogo sujo de Bannon que comprometeu a eleição de Hillary e permitiu pintá-la como a "*crooked* Hillary" – Hillary corrupta. O outro mecanismo institucional à disposição de Bannon foi a famigerada Cambridge Analytica, acusada de, em trabalho conjunto com o Facebook, ter acessado para fins eleitorais os dados pessoais de 87 milhões de pessoas sem o seu consentimento, para mobilizá-las com mentiras e desinformação a favor do Brexit.

Coube a Bannon, portanto, radicalizar o discurso de ódio ao Estado interventor com o componente racista para criar uma nova forma de populismo. Para esse fim, ele se utilizou do potencial mobilizador do discurso racista, mascarando-o como defesa nacional e luta contra as elites. O ponto distintivo da influência de Steve Bannon foi articular todo o pacote de ideias conservadoras, que vinham ganhando ímpeto desde os anos 1970, sob a forma de um verdadeiro "populismo de direita", uma suposta revolta popular contra a corrupção das elites do "neoliberalismo progressista" e do caos que ela provoca. Bannon queria ganhar o coração do povo americano. Daí sua ligação posterior com o bolsonarismo e a construção de um populismo de extrema direita também no Brasil.

Para esse propósito, ele conseguiu articular dois elementos, aparentemente sem relação necessária, que eram a insatisfação popular causada por décadas de empobrecimento de dois terços da população americana, cuja renda passou a ser drenada para a elite, e o profundo, secular e apenas superficialmente reprimido racismo de grandes parcelas do povo americano. O trabalho anterior de "guerra de ideias" e de destruição da maior pluralidade da mídia, acoplado à destruição de sindicatos e associações populares, havia deixado a maioria da população órfã de uma explicação acerca das causas de sua pobreza e de seu desespero crescentes.

Bannon passou a usar as antigas e reprimidas clivagens raciais para atacar o próprio discurso multicultural e a defesa das minorias sob a bandeira do "neoliberalismo progressista" como se fossem as causas da decadência econômica popular. Ao identificar a imprensa tradicional como veículo dessas elites, ele pavimentou também o caminho para o desaparecimento da própria separação entre verdade e mentira no espaço público – preparando o terreno para a difusão massiva de *fake news* a um público que não sabe mais o que é verdade ou mentira. Verdadeira é a "notícia" que lograr obter o maior número de compartilhamentos no WhatsApp e *likes* no Facebook, permitindo que as questões centrais do debate público sejam resolvidas pelos que têm mais dinheiro para disseminar seu discurso.

A radicalização do discurso da extrema direita implicava também transformar os republicanos, conhecidos anteriormente pela defesa tenaz do livre comércio, em nacionalistas econômicos, permitindo a utilização do nacionalismo econômico para a estratégia populista. A união de racismo e nacionalismo permitia manipular à vontade os bodes expiatórios, por definição intercambiáveis – negros, muçulmanos ou mexicanos –, possibilitando a rearticulação e o renascimento das clivagens racistas como um todo e, ao mesmo tempo, usá-las para explicar a pobreza crescente, atribuindo-a a causas externas. Na dimensão pragmática, a partir de então, o governo Trump pôde se utilizar de uma política externa agressiva, em benefício dos conglomerados industriais na base do apoio republicano, como se isso fosse uma prestação de contas ao "povo americano" para "tornar a América grande de novo".

Nesse sentido, a influência dos Koch e de seus amigos no governo Trump parece muito maior do que a dos Mercer, que o ajudaram efetivamente a vencer. Trump nutre óbvia antipatia pessoal por Robert Mercer, a quem considera um tipo "maluco", conhecido por mal falar uma palavra durante todo um jantar ou uma reunião e gostar mais de gatos do que de gente. E apesar de os Koch terem divergências em relação a Trump, como na questão do fechamento de fronteiras, já que eles gostam da mão de obra barata que a imigração possibilita, boa parte das políticas interna e externa de Trump parece feita com precisão de alfaiate para atender aos interesses de Koch e de seus amigos.

A versão de extrema direita de Bannon e Trump significa, portanto, a ressurreição do racismo arcaico, possibilitando seu uso como arma política e combustível de arregimentação popular. A "maioria silenciosa", oprimida e sem saber as causas de sua opressão, pode ser manipulada a partir de cima, como marionetes. Foi precisamente essa coincidência de fatores que fez a campanha de Bolsonaro, articulada por esse mesmo pessoal, tão eficaz. Na sua feição clássica, o debate público das questões políticas envolve o embate de posições conflitantes que se assumem como perspectivas distintas acerca de um contexto valorativo e simbólico compartilhado. A mentira deliberada corrói por dentro os pressupostos do debate público racional. Ela é uma arma de guerra utilizada não só contra o inimigo de ocasião, mas com o fim de adoecer a sociedade e quebrar todos os acordos sobre os quais se apoia a vida social. A disputa política passa a ser pensada como um jogo de tudo ou nada, no qual só o que interessa é vencer a qualquer custo.

O uso abusivo das redes sociais contra os próprios usuários indefesos nos permite compreender como as "crenças privadas" da população, a partir de suas trocas com amigos e familiares, poderiam ser usadas para manipular e influenciar seu comportamento político, fabricando um conteúdo ajustado com precisão a seus medos e ódios. Tanto na campanha de Trump quanto no Brexit e na campanha de Bolsonaro, a intenção era manipular o ódio e o ressentimento dos perdedores do neoliberalismo, mascarando suas causas objetivas e se atendo à satisfação primária das ansiedades e dos medos que o empobrecimento e o desemprego geravam. Trump utilizava um expediente que seria depois adotado por Bolsonaro em muitas ocasiões: o ataque ao opositor assumia a forma de um ataque abstrato e genérico à "elite" no poder, como se o próprio Trump não fizesse parte dela.

Sua trajetória fora da política foi um trunfo nesse sentido. Ele, um empresário de sucesso, teria entrado na política apenas para "limpá-la" da corrupção sistêmica. Como não lembrar a bravata bolsonarista do dia 26 de maio de 2019, em que ele pediu "ajuda" a seu público e às milícias para sair às ruas para "lutar contra o sistema"? Bolsonaro, apesar de ser político do baixo clero há mais de 20 anos, usou a própria obscuridade para posar como "alguém fora do sistema". Vemos aqui o clássico viés antielitista dos movimentos dos trabalhadores, utilizado agora contra os próprios trabalhadores para lhes dar a impressão de que encontraram um líder e um defensor poderoso de suas causas. Obviamente, ninguém define quem é parte desse "sistema" nem quem faz parte dessa "elite sistêmica" – que passa a ser associada apenas ao opositor político. Em seguida, torna-se decisivo o uso das bandeiras "progressistas" no campo do reconhecimento das minorias sociais, típico do neoliberalismo progressista, contra ele mesmo. Tudo como se tivessem sido essas políticas compensatórias a causa última e indiscutível da pobreza e do desemprego crescentes.

Assim, algumas tosses eventuais de Hillary Clinton em público são transformadas na prova de sua saúde precária e de sua "fragilidade" feminina, despertando o sexismo e a misoginia que haviam sido cuidadosamente abafados por décadas em amplos setores sociais. O racismo de triste memória nos Estados Unidos também foi reacendido por Trump, por exemplo, ao acusar Obama de não ter nascido no país, algo jamais trazido à baila com nenhum dos outros presidentes brancos. Obama foi obrigado à humilhação pública de apresentar sua certidão de nascimento. Também, por conta do nome, foi acusado de ser muçulmano. O ódio racial contra o negro, o mexicano, o muçulmano faz com que estes passem a ser a causa visível do infortúnio do trabalhador branco americano empobrecido e desempregado. A estratégia agora é preservar, no campo da distribuição, a expropriação neoliberal, mas dessa vez culpando o próprio "progressismo" da inclusão das minorias e do multiculturalismo, como se ele fosse o responsável pela pobreza e pelo desemprego.

O racismo, que canaliza um ódio sem direção a pessoas e grupos já estigmatizados, permite a constelação sadomasoquista de todo regime autoritário. De um lado, a idealização e a identificação com o opressor fazem com que as pessoas que na realidade se sentem desprotegidas e fracas se vejam como fortes e temíveis. Por outro lado, a possibilidade de atacar os mais frágeis sem medo de reação lhes permite compensar a sensação real de impotência em relação ao mundo. Daí o uso e a revivescência da tradição racista secular que havia sido reprimida e mascarada. O estigma tem que ser aceito e compartilhado socialmente para gerar seus subprodutos políticos. Como no caso da eleição brasileira mais tarde, as questões públicas que concernem a todos foram cuidadosamente substituídas por agressões pessoais que pudessem se transformar num canal de expressão e dar vazão a ódios e ressentimentos privados. A busca por bodes expiatórios, substituindo a discussão racional das questões públicas, é um dos componentes que mais aproximam a nova política da mentira institucionalizada dos casos clássicos de fascismo. O meio de acesso à psique individual mudou. Ele agora se localiza na internet e cria bolhas anônimas que passam a definir a política sem qualquer controle público.

Ninguém controla o mau uso da internet para fins de manipulação política. São empresas privadas de um novo tipo que se associam com o fito de lucro para enganar e manipular seus usuários. Alguns conteúdos são mostrados, enquanto outros são literalmente escondidos do leitor com o uso de algoritmos sobre os quais não existe qualquer controle eficaz. Eu mesmo, como autor, não pude mostrar a capa da segunda edição de meu livro *A elite do atraso* no Facebook. Ao clicar em "publicar", o conteúdo era imediatamente rejeitado e nunca chegava a ser publicado. O episódio foi fartamente documentado e discutido entre os meus amigos do portal. Esse é, obviamente, apenas um pequeno exemplo na esfera pessoal. As redes sociais representam um perigo claro e imediato para a democracia, todas elas empresas privadas que se associam ao governo americano e a universidades americanas para testar seu uso e sua influência como recurso manipulativo. Como diz Edward Snowden, que sabia do que estava falando como *insider*, todas equivalem à CIA com outro nome. Seu uso se impõe a cada um de nós e, ao mesmo tempo, nos tornamos reféns delas. As redes sociais representam o segundo grande ataque orquestrado à esfera pública política desde os anos 1960. O primeiro momento foi o enfraquecimento das organizações dos trabalhadores, capazes de oferecer uma leitura distinta dos acontecimentos sociais.

Agora temos a "privatização da política" em dois sentidos: primeiramente, o uso dos dados privados dos usuários depende do dinheiro de quem quer comprá-los com fins políticos; em segundo lugar, é a vida privada, profanada e vendida ilegalmente, o que permite a manipulação de propaganda política da "guerra privada" entre as pessoas. A vida pública, como espaço de interação, cede lugar à performance virtual dos fantasmas psíquicos de cada um. Toda a concepção de política que conhecemos se transforma e perde valor. Ao contrário de um espaço de interação, encontro e troca de experiências do mundo vivido nas ruas, nos protestos de rua, temos agora o solipsismo virtual, que não gera aprendizados e nos aprisiona em bolhas de ódio.

É como se os dois acontecimentos tivessem sido coordenados. Primeiro, se empobrece a esfera pública como espaço de debate e confronto de opiniões contrárias – na medida em que se ataca e se desapossa a maioria da população do acesso ao aprendizado público e a informações isentas. Em seguida, o mundo assim privatizado dos indivíduos é exposto a uma segunda e definitiva desapropriação: ele é reduzido a mercadoria vendável para fins de manipulação. As angústias do indivíduo isolado são direcionadas contra seus melhores interesses. Afinal, é a sua própria compreensão fragmentada do mundo que permite a espoliação permanente de suas carências e necessidades contra ele mesmo.

A vertigem do racismo à brasileira

Já vimos que o trabalho de produção do consentimento na esfera pública acompanha todo o processo de legitimação do capitalismo americano. A manipulação contínua dos desejos e medos da população passa a ser o modus operandi usual da economia de consumo, ajudando a transformar as demandas do cidadão em desejos do consumidor. Ao mesmo tempo que despolitizante, a manipulação do consentimento só é possível em um contexto de distribuição real de renda. O sistema tem que "entregar" o que promete, materialmente, sob a forma de consumo afluente, como "pagamento" pelo insulamento crescente do sistema político nas mãos da plutocracia.

A dificuldade de implementação prática desse modelo em vários momentos específicos, acoplada ao custo material que essa redistribuição de riqueza envolvia, uniu boa parte dos capitalistas americanos numa cruzada por uma nova forma de legitimação de seu domínio: uma "guerra de ideias" planejada e levada a cabo criteriosamente desde as últimas décadas do século XX. Paralelamente, temos também a crescente concentração de capital privado, primeiro nas mídias tradicionais, como cadeias de televisão e jornais, e depois, seguindo a mesma lógica, nas novas mídias digitais da internet. Tanto na dimensão da produção quanto na distribuição e difusão das ideias, a possibilidade da crítica e de um debate público plural diminui exponencialmente. Além disso, formas tradicionais de produção do consentimento, como Hollywood, continuam a operar em escala mundial, com sua produção em massa de estereótipos.

O grande capital passa a ter cada vez mais domínio sobre a produção e a difusão de ideias e visões de mundo. Mas a herança do *New Deal* e das lutas dos trabalhadores ainda é forte. Nesse contexto histórico de transição, as demandas do grande capital, especialmente do capital financeiro, tentam se justificar ainda como "emancipação" de minorias oprimidas e defesa do meio ambiente, colonizando a semântica progressista do período anterior. Mesmo as demandas de formas mais tradicionais do grande capital, ligadas, antes de tudo, às indústrias "sujas" da energia, do carvão, do petróleo, da química e da mineração, apelam, ainda, aos valores clássicos da família e do empreendedorismo americano do *self-made man*, herança dos *farmers* e da fronteira americana. O grande capital se veste ainda com as roupas do povo e finge representar seus interesses. Nas últimas décadas, os investimentos nas formas mais radicais de "guerra de ideias" foram realizados por bilionários desse estrato social como forma de criminalizar e estigmatizar o controle de suas atividades pelo Estado.

A eleição de Donald Trump, o Brexit inglês e a eleição de Jair Bolsonaro no Brasil expressam uma nova conjunção de fatores combinados que se retroalimentam reciprocamente. Em primeiro lugar, há uma mudança qualitativa na forma como o capitalismo americano – e, portanto, mundial – se legitima. A própria constituição do paradigma neoliberal "progressista", que se traveste de emancipação de minorias oprimidas com Clinton e Obama, guarda um perigo iminente. Como a inclusão dos setores perseguidos e marginalizados é pensada de maneira liberal e meritocrática, ela abrange apenas os segmentos das minorias que já possuíam as precondições de classe para sua inclusão social. A consideração dos interesses de setores mais amplos dessas minorias jamais aconteceu nem poderia acontecer. Como o paradigma de distribuição do neoliberalismo é restritivo, qualquer forma mais difundida de inclusão de setores sociais estava fadada ao fracasso e a se transformar em engodo. As possibilidades de ascensão social real abrangiam apenas uma pequena faixa – na melhor das hipóteses, os 10% mais bem posicionados socialmente – das minorias excluídas.

Nenhuma promessa não cumprida permanece sem consequências na política. Além do ressentimento e do desencanto em suas próprias fileiras, o progressismo neoliberal abre um flanco inaudito ao inimigo político: a possibilidade de fazer crer que as mazelas sociais e econômicas do próprio neoliberalismo são decorrentes precisamente de suas formas de legitimação mais "progressistas", permanecendo sua dimensão econômica e distributiva, em grande medida, intocada. Esse foi o fato que permitiu a retórica agressiva contra os direitos humanos em geral e os direitos das minorias em particular. Já que as causas econômicas do empobrecimento e do desemprego permaneceram invisíveis, como o funcionamento real do mecanismo desapropriador das "dívidas públicas", por exemplo, as próprias formas de legitimação e justificação do neoliberalismo progressista enquanto tais passaram a ser percebidas como a causa da decadência social e econômica da maioria da população.

Esse fato implica – ao mesmo tempo que pressupõe – uma transformação estrutural no processo de legitimação do capitalismo.

Dada a impossibilidade de crítica radical do modelo de expropriação neoliberal, já que o debate público foi enfraquecido pela compra e pelo controle de todos os meios de distribuição e difusão de informação, agora o ataque da plutocracia guiado por Steve Bannon e seus parceiros se dirige contra a própria democracia. A ideia de democracia tem como pressuposto essencial a possibilidade de aprendizado coletivo através do debate público. Isso é uma precondição para a emancipação social, política e econômica da população como um todo por meio da generalização de direitos percebidos como universais. É exatamente esse conjunto de ideias que está, agora, sob ataque cerrado.

É como se a culpa da continuação e do aprofundamento do desemprego e da pobreza fosse das políticas cosméticas de emancipação das minorias. Afinal, é o que as pessoas veem na dimensão da vida cotidiana. Mulheres, LGBTs, negros e latinos passam a ser os alvos visíveis da classe trabalhadora branca e decadente, possibilitando a escalada do sexismo, da misoginia, da homofobia e do racismo aberto e indiscriminado. Isso permitiu que tanto a semântica do conservadorismo americano quanto suas práticas pudessem deixar a posição defensiva anterior e assumissem um ataque frontal ao establishment. Bannon soube empacotar o descontentamento difuso do povo americano e travestir o discurso de Trump de libelo antielitista. Desse modo, permanece uma conexão, certamente pervertida, com a tradição do movimento dos trabalhadores americanos e do *New Deal*, mas, agora, sem a linguagem da emancipação e dos direitos.

O inimigo é a "elite", nunca definida enquanto tal e podendo assumir qualquer rosto ao gosto do freguês, além de sua imprensa *mainstream*. O ataque à imprensa tradicional tem o objetivo de eliminar a diferença entre verdade e mentira e atacar a própria linguagem da emancipação e dos direitos. O engodo do neoliberalismo progressista é visto como o engodo de qualquer forma de "progressismo". Daí que o multiculturalismo, a proteção ao meio ambiente e a luta pelos direitos das minorias passem a ser vistos como a causa real de todos os problemas. Esse ataque é feito em nome da "sinceridade" e da "verdade", travestindo o ódio e o ressentimento como se fossem virtudes. É preciso ser "sincero" e dizer a "verdade" atacando diretamente pobres, negros, mulheres e LGBTs, acusando-os de fazer "mimimi" e reclamar sem razão o tempo todo. Daí que a radicalização no nível do discurso do ódio tenha podido ultrapassar limites de modo antes inimaginável.

Bannon sabia que havia no ar muito ressentimento, muito ódio, muita ansiedade e raiva. Sua revolução foi dar direção a esses anseios e medos. E Trump deveria ser a voz cheia de raiva e ressentimento da "maioria silenciosa" antes sem voz. No entanto, ao colonizar vicariamente a tradição secular do supremacismo branco já utilizada desde Nixon pelos republicanos na sua famosa *Southern strategy* – ou estratégia sulista –, seu populismo não pode desenvolver qualquer efeito de coesão e solidariedade popular. Agora o racismo se generaliza para abranger qualquer forma de alteridade, permitindo a Bannon e depois Trump eleger a "ameaça islâmica" como principal choque civilizatório, dentro da tradição que Samuel Huntington havia inaugurado. Mas ele pode atacar também mexicanos ou negros, dependendo do público ou da ocasião.

O populismo nacionalista que Bannon propagava no seu Breitbart News misturava o arcaísmo do racismo americano a uma defesa nacionalista dos interesses americanos. Essa retórica tem em Trump seu propagador perfeito, graças à virulência de seu discurso e à sua postura de *outsider*. Além de muçulmanos, mexicanos, negros, latinos, gays e mulheres, o novo inimigo é também a globalização financeira, que fez os americanos perderem seus empregos. O racismo pode se dar ao luxo de ter bodes expiatórios de ocasião, recobrindo frustrações, ódios e medos primordiais. O pacote de Bannon para Trump foi acoplar uma leitura supostamente antielitista – uma forma pervertida de se apropriar da tradição do *New Deal* – à figura arcaica e secular do racismo americano, ambas com apelo popular. Com isso, ele transformou o discurso antes defensivo do conservadorismo numa força popular ofensiva – no duplo sentido do termo – que galvaniza boa parte da classe trabalhadora branca americana.

Essa mudança na forma de legitimação da desapropriação neoliberal está intimamente ligada, por sua vez, a mudanças estruturais na maneira como a esfera pública passa a operar e a ser institucionalizada. Os novos meios de redes sociais digitais permitem agora uma completa vigilância da vida privada dos cidadãos. Utilizada como arma política no novo complexo "informático-militar", que em parte substitui e complementa o antigo "complexo industrial-militar" do império informal americano, é empregada tanto contra outras nações quanto contra o próprio povo. O acesso às informações mais íntimas que as pessoas fornecem de bom grado a essas companhias comerciais, com seus *likes* e conversas familiares, permite com perfeição a formatação da mensagem política a cada público específico.

Essa nova forma de difusão de ideias e propostas políticas possibilita a propagação de mentiras que são produzidas conscientemente e não podem mais ser desmentidas. As novas mídias digitais permitem o fracionamento e a fragmentação da esfera pública, impedindo a própria oposição entre verdade e mentira. Paralelamente, isso também abre espaço para o uso político das paixões e dos medos privados dos indivíduos, minando a fronteira entre assuntos públicos e privados. O acesso à vida particular dos cidadãos é utilizado para colonizar e manipular sua vida pública e política.

No Brasil, esse mesmo processo foi aplicado com poucas modificações nas eleições de 2018. No caso brasileiro, uma abordagem muito semelhante de canibalização do debate público foi decisiva para a eleição de Jair Bolsonaro, mas os pressupostos são de natureza distinta. De maneira muito interessante, vamos ter, no caso brasileiro, a interseção entre uma nova forma de legitimação da expropriação neoliberal e a perda de poder relativo da elite brasileira *vis-à-vis* à elite americana. É como se a nova forma de hegemonia do capitalismo mundial capitaneada pelos Estados Unidos implicasse uma mudança estrutural também no estatuto neocolonial, que caracteriza a relação da elite americana com as elites neocolonizadas, como a brasileira.

A meu ver, isso se deve à perda de hegemonia das elites brasileiras, levando à sua incapacidade de controlar o processo político internamente. Como bem sabia Edward Bernays, a condução da sociedade depende do consentimento das massas, ainda que manipulado por mãos invisíveis – forma como o próprio Bernays gostava de ver a si mesmo. Na época democrática, essa condução exige também hegemonia política e eleitoral. O consentimento tem que ser obtido dentro das regras eleitorais. Não foi o que aconteceu no caso brasileiro. Como vimos, a deposição de Dilma Rousseff já havia sido selada pela elite dominante. Tudo aconteceu como se Aécio Neves tivesse ganhado a eleição "na marra". Desde o primeiro dia de mandato, a presidenta não pôde governar devido a pautas-bomba destinadas a inviabilizar seu governo.

Paralelamente, de modo ainda mais significativo, a Lava Jato, em associação com a mídia sob comando da Rede Globo, constrói uma frente extraparlamentar nas ruas formada basicamente pela classe média branca e estabelecida, retirando qualquer possibilidade de continuação do governo eleito. Como vimos, nada de novo no front. Esse é o golpe de Estado clássico no Brasil já há 100 anos. Só que, dessa vez, faltavam as precondições internas e externas para um golpe aberto e militar. A tomada do poder se dá num conluio de todas as forças conservadoras, inclusive do aparelho jurídico-policial do Estado.

Pior. O sentimento crescente de que todo o processo era conduzido segundo um complô elitista contra os interesses da população e à revelia do voto popular esgarça o consenso democrático construído a duras penas no período de redemocratização. A Lava Jato avança uma ofensiva que criminaliza não apenas o Partido dos Trabalhadores, mas a própria classe política enquanto tal. Se o interesse da elite era defenestrar o PT do poder para colocar seus representantes orgânicos no lugar, o interesse do aparelho jurídico-policial estatal era estigmatizar toda a atividade política para ocupar o vácuo de poder em seu benefício. A ideia era primeiramente exercer o poder sem a necessidade do voto para depois, utilizando-se do falso moralismo do combate à corrupção, montar um fundo partidário com dinheiro obtido no saque da Petrobras e da Odebrecht.[66] A desfaçatez e a sórdida consciência com que esse projeto foi urdido e levado a cabo por Moro, Dallagnol e suas respectivas máfias no poder Judiciário e no Ministério Público foram mostradas em todos os seus detalhes pela Vaza Jato sob o comando de Glenn Greenwald e o jornal on-line *The Intercept*.

Toda a articulação da Lava Jato teve, desde o começo, a mão e o apoio decisivo do Departamento de Estado americano. A cooperação funcionava sem mediação institucional, precisamente como máfias que se apropriam de cargos estatais para desenvolver uma agenda própria de acordo com interesses privados e corporativos. Os americanos, como sempre, agiam em nome de suas grandes empresas e de seus interesses; os juízes e procuradores brasileiros, como sempre, no próprio interesse privado e corporativo. A Lava Jato avança e se torna fiadora de todo arranjo de poder viável, como uma grande rede de extorsão, chantagem e intriga que contamina toda a atividade política, convenientemente blindada pela grande mídia.

Pela falta de hierarquia e legitimidade, o poder de Estado se fragmenta e passa a operar abertamente em nome de interesses também fragmentados. Sem qualquer apelo popular, o governo Temer assume a pauta radical do neoliberalismo – que só podia ser adotada por meios antidemocráticos. Ela envolve o congelamento de gastos estatais e total foco no saque rentista via dívida pública. De resto, há um renovado ataque aos sindicatos e aos direitos trabalhistas, com a completa submissão das classes populares. Por seu turno, a Lava Jato começa a sonhar com sua eternização e institucionalização duradoura à custa de dossiês e ameaças mais ou menos veladas a todas as instâncias de poder estatal e do dinheiro proveniente do acordo com os americanos. Os termos desse "acordo", ao que tudo indica, envolvem a destruição do setor de engenharia civil de ponta brasileiro e a entrega da Petrobras, do mercado de petróleo, gás e gasolina, e de sua capacidade de refino, por meio da criminalização e estigmatização das empresas brasileiras, em troca de dinheiro e "parceria técnica" para o projeto privado da máfia jurídica e policial do Estado sob o comando de Moro e Dallagnol.

As eleições de 2018 representam um ponto de ebulição de todas essas contradições. Num contexto prévio à Vaza Jato, é o velho complô lava-jatista que ainda dá as cartas. Mas já aqui não mais de acordo com suas intenções. A Lava Jato é o espelho perfeito do bloco antipopular hegemônico desde a República Velha e a luta contra Vargas. Produto mais perfeito do racismo repaginado como o falso moralismo do combate seletivo à corrupção, ela serve para estigmatizar o povo e sua participação política, sacralizando a abissal desigualdade brasileira. A elite pretende perpetuar a propriedade e o saque ao orçamento público, enquanto a classe média busca preservar a qualquer custo os privilégios educacionais e de renda que lhe garantem um padrão de consumo e um estilo de vida europeu e americano, além de prestígio e distinção social. A Lava Jato funciona como a "elite funcional" desse arranjo, legitimando pelo moralismo seletivo a derrocada do projeto de inclusão popular.

Mas atacar frontalmente todos os consensos inarticulados que são os pressupostos da convivência democrática tem um custo muito alto. Como realizar esse ataque impiedoso e, ao mesmo tempo, esperar que o povo enganado não reaja contra isso? A intervenção da Lava Jato foi uma tentativa de pôr o PSDB, partido orgânico da elite, de volta no poder. O antipetismo reinante na mídia hegemônica pretendia localizar o descontentamento só no PT, para matá-lo de vez. Mas o público passou a desconfiar de todos os políticos e de toda a política. Os brasileiros chegam à eleição de 2018 com ódio da política, que, para eles, é a causa de sua pobreza crescente e de sua falta de esperança.

É aqui que entra Bolsonaro, uma surpresa eleitoral com a qual ninguém contava seriamente. Líder político com ligações comprovadas com membros da milícia mafiosa e criminosa carioca, que nas últimas décadas havia se estruturado como partido político no Rio de Janeiro – com forte apelo entre policiais, especialmente os "milicianos", servidores militares e os segmentos mais reacionários da sociedade –, Jair Bolsonaro se mantém como o único candidato capaz de fazer frente ao PT. Nenhum dos políticos tradicionais conservadores possui apelo popular. Com Lula convenientemente preso para não disputar a eleição, Bolsonaro desponta como única opção do campo conservador para tentar derrotar Fernando Haddad e Ciro Gomes.

A relação da família Bolsonaro com Steve Bannon e sua turma

ainda é, por boas razões, envolta em mistério. Mas é certo que já se conheciam pelo menos desde 2017, um ano antes da eleição, quando o lobista Gerald Brant – da tradicional família mineira –, que opera nos Estados Unidos, convidou os Bolsonaro para um tour de apresentação à extrema direita americana.[67] Outros encontros se seguiram, inclusive em agosto de 2018, quando a campanha entrava em sua fase decisiva. Nessa ocasião, Eduardo Bolsonaro confirmou a participação de Bannon na campanha do pai, admitindo seu papel como "conselheiro", mas ressaltando que não havia "nada de financeiro" na história.[68]

Para a extrema direita americana, que se preparava já havia algum tempo para uma ofensiva internacional, Bolsonaro representava a figura ideal para a exportação de seu projeto para o Sul global, assim como o Brexit havia representado sua inserção na Europa. Dado o sucesso da campanha de Trump, com sua extraordinária virulência, era mais que natural que o prestígio de Bannon junto a seus financiadores o habilitasse a comandar um projeto mundial de expansão. Afinal, como já vimos, a elite americana buscava internacionalizar a qualquer custo todos os dispositivos de poder que se mostrassem úteis internamente. Esse é precisamente o DNA do imperialismo informal americano. O Brasil, com inúmeras riquezas naturais e grande mercado interno a ser explorado, além de empresas estatais importantes, representava uma nova fronteira aberta ao saque de sócios ávidos por monopólios e privilégios econômicos de toda espécie.

No que efetivamente importa, ou seja, no resultado das ações concretas e práticas, a campanha bolsonarista foi um perfeito exemplo das táticas de Bannon, vencedoras com Trump e o Brexit, mas agora aplicadas às colônias. No caso brasileiro, não se podia falar de ameaça islâmica nem do orgulho nacional de potências imperialistas que se creem racialmente superiores. A ênfase teria que estar nos costumes e na segurança pública. Ambos os assuntos também foram temas de Bannon e Trump – basta lembrar o quadro do site Breitbart News que ligava o crime à negritude e do rechaço ao politicamente correto e à política de apoio a minorias. O nacionalismo teria que entrar como bandeira vazia, simples alusão a símbolos nacionais sem qualquer significação econômica.

A elite brasileira perdeu seu protagonismo político de duas maneiras. Seu arranjo histórico construído no período varguista, baseado no combate seletivo à corrupção, mostrou seus limites. Como a elite nacional nunca teve nenhum outro discurso legitimador, a criminalização de toda a política, inclusive de seus políticos orgânicos, a deixou sem opções viáveis. Como resultado, foi obrigada a aceitar uma parceria, cheia de contradições e armadilhas, com o líder político ligado a uma associação abertamente criminosa que funciona pelo terror de execuções e assassinatos à sombra da ordem legal. A história mostra que sabemos bem como começa esse tipo de parceria, mas jamais como termina. Só que a elite perde seu protagonismo em outro nível também. Como seu próprio esquema de legitimação não funciona mais, ela deixa que lhe empurrem goela abaixo todo um plano elaborado com precisão para deixar o país completamente à mercê de uma potência estrangeira. O sócio historicamente menor do arranjo colonial fica ainda muito menor.

Do mesmo modo que o racismo racial americano é a base de todo o processo de canibalização do discurso público nos Estados Unidos, o racismo brasileiro será a pedra de toque do efeito de arregimentação do discurso bolsonarista. Nos Estados Unidos, esse discurso seria acoplado ao "nacionalismo econômico" de Bannon e, depois, de Trump. Ainda que falte o elemento verdadeiramente nacionalista em Bolsonaro, o discurso é costurado em referência ao mesmo inimigo comum: a emancipação de minorias do progressismo neoliberal. Uma cópia adaptada da estratégia de Bannon com Trump, sem tirar nem pôr. Se os governos do PT, ainda que parcialmente envolvidos na desapropriação neoliberal, lograram incluir no mercado de trabalho e consumo dezenas de milhões de brasileiros, nada foi feito, a não ser de modo episódico e superficial nos períodos de marketing eleitoral, para informar os próprios beneficiários desse processo acerca da importância da variável da vontade política nessa lógica. Muitos beneficiários do processo de inclusão, especialmente os das hostes populares de certas agremiações religiosas, percebiam outros fatores, muito especialmente os milagres divinos, como a causa de sua ascensão social.[69]

Depois, como defendo desde *A radiografia do golpe*,[70] a inclusão petista mexeu com a mais profunda e mais reprimida chaga social brasileira: o racismo contra a ralé de novos escravos, a casta dos intocáveis brasileira, condenada aos serviços pessoais, sujos e perigosos – a Geni, que todos de todas as classes querem humilhar e em quem querem cuspir. Como a inclusão social lulista beneficiou antes de tudo esse segmento específico, que corresponde a cerca de um terço da população brasileira,[71] ela desagradou profundamente não apenas a classe média estabelecida, mas também boa parte das classes populares.

Como vimos no início do livro, o racismo racial recobre, de modo quase perfeito, a estrutura dos privilégios de classe no Brasil. A dinâmica da reprodução dos privilégios de classe, no entanto, é virtualmente invisível para a maioria das pessoas, muito especialmente os privilégios advindos do capital cultural – se os comparamos com a visibilidade do capital econômico, que se manifesta na reprodução de títulos de propriedade. Os privilégios da classe média estabelecida advêm de diplomas, do acesso ao conhecimento "legítimo" de línguas estrangeiras e do pensamento abstrato.

As precondições para esse tipo de aquisição são familiares, se dão por estímulos ao aprendizado, à leitura e à especulação através do exemplo das figuras parentais e são aprendidos em tenra idade de modo invisível e afetivo pela identificação primordial com elas. A falácia da meritocracia se baseia na ilusão de que o esforço pessoal, e não os privilégios de berço, fundamenta a desigualdade.

A aliança racista que se instaura no Brasil entre elite e classe média branca, importada da Europa, visa sacralizar e perpetuar a divisão dos privilégios de classe na sociedade brasileira. A propriedade permanece com a elite, enquanto os privilégios educacionais – o caminho institucionalizado para a aquisição de capital cultural – permanecem nas mãos da classe média. Além dessas razões racionais, posto que economicamente compreensíveis, existem também razões irracionais, como o desconforto com negros e mestiços que passam a não saber o "seu lugar". Quando começam a frequentar o mesmo shopping center, a classe média se incomoda com essa "falta de senso de lugar". A mesma classe média que afirma, indignada, que os aeroportos se transformaram em rodoviárias. Até as empregadas domésticas agora querem carteira assinada. Imaginem que absurdo!

Foi esse conjunto de transformações – algumas racionais, úteis para defender privilégios econômicos seculares, e outras nem tanto – que mobilizou milhões de pessoas, majoritariamente brancas e de classe média, a seguirem seu líder Sergio Moro em todas as grandes cidades do país. Isso é uma prova empírica irrefutável de como o moralismo de fachada do combate seletivo à corrupção funciona, na prática, como um equivalente do racismo racial. Sua função é recobrir o racismo com uma fachada moralista, a qual existe, ao mesmo tempo, para esconder e deixar intactos os privilégios de classe e o racismo racial brasileiro. Afinal, pensemos juntos, leitora e leitor, se o problema fosse verdadeiramente a corrupção, por que quando Aécio e Temer foram pegos em gravações explícitas mencionando assassinatos e propinas, não se viu uma só alma branca e bem-vestida de classe média bradando histericamente nas ruas brasileiras?

Nas ciências sociais, esse é precisamente o mecanismo por meio do qual se comprovam as razões efetivas do comportamento coletivo[72] para além de suas justificativas da boca para fora. O moralismo do combate seletivo à corrupção se presta maravilhosamente a esse fim de embelezar o racismo ao mesmo tempo entranhado e proibido no Brasil. Como a seletividade se dirige unicamente contra o "povinho" negro e mestiço e seus representantes políticos, pode-se odiar o pobre, o negro e o mestiço por "boas razões", acomodando a "boa consciência" do racista. Em vez de se confrontar com a canalhice covarde do racista que persegue o fragilizado e o oprimido, as hostes de classe média são metamorfoseadas em patriotas que defendem o bem público. Qual canalha racista não quer se ver e ser visto pelos outros dessa maneira? Preciso desenhar, cara leitora e caro leitor, para que compreendamos que o falso moralismo do combate à corrupção foi a saída genial que a elite e a classe média branca construíram, por meio de seus intelectuais, para, simultaneamente, exercer e esconder infinitamente seu racismo?

Mas o racismo brasileiro não se restringe às classes superiores. Com Bolsonaro, ele foi ativado também nas próprias hostes populares. Sua estratégia, diabolicamente bem elaborada pelos mesmos que ajudaram Trump, envolveu um jogo duplo. Para ganhar a elite, bastou prometer a divisão do saque, ainda que agora como sócia menor das elites americanas, do orçamento público e das riquezas nacionais. A elite é a única classe em grande medida abertamente cínica, pois está parcialmente acima da necessidade de justificativas morais. Para ganhar a classe média, o simples antipetismo já bastava.[73] O front da batalha das classes superiores contra o povo já estava ganho por Bolsonaro pelo simples fato de ser a única alternativa viável contra o lulismo. Mas o lulismo havia mostrado que ninguém mais ganha eleições apenas com o apoio das classes do privilégio.

Como então dividir as classes populares, que haviam adquirido o hábito de votar em uníssono no lulismo? Certamente, a mesma tática que funciona com a classe média funciona com parte das camadas populares. A prisão e a humilhação de Lula tinham precisamente esse objetivo. Mas os pobres são pragmáticos. Eles percebem a política como um jogo sujo e corrupto dos ricos e querem saber quem, no final das contas, vai ajudá-los de algum modo efetivo. Foi aqui que a reprodução do esquema vitorioso de Bannon aplicado ao Brasil fez a diferença.

Primeiro vieram a linguagem violenta e o clima de ameaça e de revolta popular. Depois, o ataque orquestrado às duas forças eleitorais da esquerda: o PSOL e o PT. O PSOL muito especialmente por sua força relativa no Rio de Janeiro – que também é a base do bolsonarismo e do poder mafioso miliciano/religioso –, onde tem mais apelo, especialmente na classe média progressista, do que o PT. Isso permitiu a Bolsonaro utilizar o mesmo discurso da extrema direita americana, de apontar o discurso progressista do neoliberalismo identitário como a causa da pobreza e da corrosão dos costumes. É aqui que o casamento com algumas agremiações religiosas se revela especialmente importante. Bolsonaro se constrói como defensor dos valores familiares tradicionais atacando figuras como o deputado Jean Wyllys, talvez o maior ícone da luta contra a homofobia e o preconceito no Brasil.

Do mesmo modo que os valores que o neoliberalismo progressista defendia nos Estados Unidos foram transformados, eles mesmos, nos culpados pela pobreza e pelo desemprego americano, a defesa das minorias perseguidas foi criminalizada pelo bolsonarismo – a estratégia de Bannon e da extrema direita americana adaptada aos trópicos, como já vimos. A partir disso, todos os ressentimentos privados e todos os desejos reprimidos do eleitorado puderam ganhar expressão política. Uma política que não pode se exercer no debate público, posto que sem projeto e sem ideias. Por conta disso, os demônios privados ganham tanta importância. Uma expressão obviamente pervertida, mas extremamente eficaz precisamente por conta disso. Cria-se o bode expiatório perfeito para a perseguição a grupos vulneráveis, já vítimas de preconceitos seculares, mobilizando hostes populares ressentidas, reprimidas e oprimidas, além de econômica e culturalmente despossuídas.

Contra Marielle Franco, também do PSOL, cujo assassinato se revela a cada dia mais próximo da família do presidente, foi realizada a oposição à defesa dos direitos humanos, supostamente uma mera fachada para proteger bandidos e criminosos – o famigerado "direito humano de bandido". Como as milícias são várias, o assassinato de Marielle funcionaria como uma senha para sua união em torno de Bolsonaro e de todos os chefes políticos da milícia articulados em torno dele. Como é amplamente conhecido, Bolsonaro é um defensor ardoroso e de primeira hora da senha "bandido bom é bandido morto". Tudo como se a suposta inoperância da polícia exigisse uma força especial e sem controle legal, estranhamente formada pelas mesmas hostes policiais e de ex-policiais, para o "combate efetivo" ao crime. Mera fachada para legitimar o poder fático de gangues de milicianos, o mesmo pessoal que a família Bolsonaro emprega, defende e do qual é aliada com mil vínculos de amizade e casamento.

Como aprendi estudando as classes populares durante muitos anos,[74] a principal oposição nos segmentos populares é aquela construída entre o pobre honesto e o pobre delinquente. O delinquente masculino é o bandido, enquanto o delinquente feminino é a prostituta – além do homossexual, que abrange os dois sexos. Essas duas figuras, em suas inúmeras gradações e nuances, são o grande medo e a grande preocupação de toda família pobre no Brasil. Os filhos dos pobres vivem em uma fronteira cinzenta entre moralidade e imoralidade, legalidade e ilegalidade, submetidos por um padrão moral construído pelas classes superiores para melhor oprimi-los. Essas classes, destinadas a ser humilhadas por esse esquema de classificação moral, também têm as menores chances cognitivas e afetivas de se defender em relação à rigidez das regras que as condenam desde o berço.

Daí que precisamente os temas da moralidade dos costumes e da segurança pública surjam como os motes principais da propaganda bolsonarista. Essa é a forma de colonizar e explorar a fragilidade econômica e social das classes populares contra elas mesmas. A partir de sua base carioca, Bolsonaro tinha agora, à sua disposição, a bandeira moralista adaptada às circunstâncias das classes populares, e não apenas das classes superiores. Assim, com uma só tacada, ele consegue amalgamar sua base militarizada da milícia armada com o discurso de agremiações religiosas, que lavam o dinheiro da milícia e operam como organização criminosa em conjunto com ela. Com o poder de ameaça da milícia e com o apoio da pregação religiosa, Bolsonaro passa a ter o seu exército para a guerra entre os pobres. Como as classes média e alta já estão com ele por ação ou omissão, basta dividir os pobres para reinar. Esse foi o real segredo de sua vitória.

Mas também aqui o racismo racial é o combustível principal. Temos que perceber o racismo, especialmente no caso brasileiro, como um afeto à procura de uma ideia que o recubra e esconda. Não esqueçamos que, aqui, o "elogio da mestiçagem" freyriano foi abraçado por Getúlio Vargas como propaganda popular inclusiva, sendo bem-sucedido o bastante para interditar e proibir, na prática, formas explícitas de racismo. No entanto, sua mera interdição e proibição não são suficientes para destruí-lo. Ele continua lá, ativo, como força arcaica e reprimida, como afeto que apenas espera um canal apropriado e a melhor ocasião para se expressar com outro nome, mas realizando e satisfazendo o ímpeto e a energia racista originais. Nas classes superiores, como vimos, o racismo é substituído pelo moralismo de fachada do suposto combate à corrupção, que serve instrumentalmente para condenar à morte qualquer projeto político de inclusão dos pobres e negros entre nós.

Nas classes populares, o racismo se dá pela ligação do negro e do excluído à figura do pobre delinquente, por oposição ao pobre honesto. Essa oposição é decisiva para um conjunto muito heterogêneo de classes e segmentos de classe nas camadas populares. Esse conjunto abrange desde o segmento da baixa classe média – à qual pertence a própria família Bolsonaro, de italianos brancos e pobres do interior de São Paulo que não conseguiram ascender à classe média e à elite como muitos de seus compatriotas imigrados, uma espécie de "lixo branco" brasileiro – até negros ansiosos para se identificarem com seu opressor, funcionando como capitães do mato até hoje.

Falo isso em referência ao assim chamado "lixo branco" americano: o norte-americano branco do Sul dos Estados Unidos, inferior cultural e economicamente ao americano do Norte e do Nordeste, que, por conta do ressentimento criado pelo sentimento de inferioridade em relação aos outros brancos, se transforma num racista impiedoso contra os negros. Algo semelhante acontece com a baixa classe média branca no Brasil. Ressentidos com o sucesso de seus pares que ascenderam, seus membros canalizam esse ressentimento contra o segmento mais frágil, abaixo deles, sob a forma de racismo potencializado. Lembro-me claramente de entrevistas com famílias de imigrantes italianos pobres no interior de São Paulo, muito perto de onde Bolsonaro nasceu, cujas filhas me reportaram que o crime mais grave na família era casar com um negro. Afora isso, tudo era permitido. Mas só se dizia isso à boca pequena, em círculos familiares, nunca em público.

É que para o "pobre remediado" – na verdade, a maior parte da população brasileira –, se for branco, a única distinção social positiva possível, no seu meio, é a cor da pele. Por conta disso, ela tem que ser mantida nas gerações posteriores. Entre os muito pobres, por sua vez, a única distinção positiva possível é aquela contra os "delinquentes", os quais são quase todos de cor negra. O negro e o excluído são vistos pelas classes "superiores" como desonestos e ingênuos, posto que apoiam governos corruptos. Já pelos outros segmentos populares, logo acima deles, são vistos como criminosos e delinquentes. Como o negro e o excluído ocupam o último degrau na classificação social, todas as classes acima deles podem se distinguir socialmente e lhes auferir uma sensação de superioridade, seja a partir do discurso fajuto do combate moralista à corrupção, seja a partir da construção do estereótipo do delinquente.

Para quem imagina que os interesses sociais são todos econômicos ou redutíveis aos interesses econômicos, como ocorre com o pensamento hegemônico liberal e certas tradições marxistas, toda a realidade da "economia moral" da sociedade e de suas lutas intestinas está interditada. No entanto, as lutas pelas distinções morais e sociais são tão ou mais importantes que as lutas econômicas pelo acesso a bens escassos. Para quem não percebe isso, o funcionamento das sociedades e a lógica das lutas de classe permanecerão sempre um grande mistério. Daí por que compreender como o racismo se reveste de outras máscaras é tão importante.

Entre os pobres, ninguém tem dúvida de que a luta contra o crime é mero eufemismo para a matança e o genocídio de jovens negros e sem chance de futuro. Por conta disso, o racismo também é a energia e o afeto predominantes nesse contexto. O último estrato de classe brasileiro, o dos desclassificados, abandonados, esquecidos e humilhados, quase todos negros e pobres, funciona, desde a escravidão, como ponto de união entre as classes superiores em uma batalha sem tréguas contra os pobres, e como divisor da solidariedade popular, propiciando e estimulando a guerra entre os pobres. Precisamente como uma casta de intocáveis, os excluídos são a pedra de toque de toda a hierarquia social brasileira, o seu interdito maior, o não dito que se confirma na prática da perseguição continuada. O "crime" maior do lulismo – para além de sua política de compromisso e de não mobilização – foi ter, pela primeira vez na história brasileira, beneficiado essa classe de condenados e humilhados.

Desse modo, o racismo implícito do bolsonarismo casa perfeitamente com a prática miliciana e com a pregação religiosa. A construção do delinquente é tanto a senha da polícia para matar legitimamente – como não pensar no projeto de Moro e de Bolsonaro de dar ao policial "licença para matar"? – quanto, por mera oposição, o caminho da salvação de todo pobre honesto, convertido e religioso. A partir daí, Bolsonaro se torna o representante orgânico de duas facções criminosas que já operam juntas: uma matando e extorquindo os pobres com serviços encarecidos e outra lavando o dinheiro do crime em suas igrejas.[75] De quebra, Bolsonaro se torna o protagonista de uma guerra entre os pobres que lhe permite interromper a hegemonia lulista anterior e lhe assegura uma parte significativa do eleitorado popular. Essa é a base do acordo das elites brasileira e americana com o crime organizado miliciano que chega à presidência com Bolsonaro.

Todo o arsenal político de Bannon, inclusive a radicalização da mensagem para testar limites e jogar a discussão pública no campo do extremismo radical, mantendo a coesão de suas múltiplas hordas milicianas e religiosas, foi aplicado com poucas mudanças no caso brasileiro. As principais diferenças foram o nacionalismo econômico e o antielitismo. Essas mudanças são óbvias, já que o prêmio dessa estratégia é saquear o Brasil a partir de fora e de dentro. Ainda assim, o antielitismo e a estratégia anti-establishment também são utilizados topicamente quando necessário. Os ataques abstratos à "elite" e ao "sistema" cabem nesse figurino. A reação ao "ele não" foi também realizada exatamente nesse registro. As mulheres da classe média mais crítica foram expostas através de vídeos falsos como "vagabundas", criando artificialmente uma sensação de superioridade moral para as mulheres das classes populares e religiosas em relação àquelas – eventualmente suas patroas e alvo de sua inveja. Para quem não tem nada, a distinção moral é tudo.

O bolsonarismo utiliza as contradições sociais para manter o clima de guerra social constante – precisamente o modus operandi miliciano: ameaçar e chantagear o tempo todo para extorquir o máximo possível. Ele coloniza a opressão e o ressentimento popular contra as classes "superiores" em sua luta contra tudo que represente o "espírito": artes, ciência, universidades, cultura, livre pensamento. Como o conhecimento e a cultura foram utilizados muitas vezes como uma "carteirada" contra os mais pobres, a memória dessa humilhação sobrevive no apoio a esse tipo de destruição do patrimônio simbólico do país empreendido por Bolsonaro.

No fundo, todos perdem. Um país sem ciência e tecnologia não oferece futuro algum para ninguém. Mas, no curto prazo, ódios e ressentimentos arcaicos são satisfeitos. No mesmo sentido opera a estratégia anti-establishment de Bannon e do seu aprendiz de feiticeiro Olavo de Carvalho, utilizada muito mais agora, depois da eleição, como forma de ameaçar e chantagear a elite brasileira e sua imprensa. Nessa farsa, Bolsonaro aparece como o lutador contra o "sistema", abstrato e nunca definido exatamente para ganhar o rosto do adversário de ocasião, como no vídeo de Bolsonaro como o leão patriota perseguido por hienas.

A mudança na forma de legitimação da expropriação neoliberal, representada pela canibalização do espaço público e pelo apagamento proposital da diferença entre verdade e mentira, torna o acordo neocolonial entre a elite americana e a brasileira ainda mais vantajoso para os americanos, que passam agora a dar as cartas também no processo interno de legitimação da dominação em todas as dimensões. Quando Bolsonaro se encontra com Trump, não são mais dois presidentes de nações soberanas que se encontram. Bolsonaro deve a eleição – e sua continuidade no poder – a Trump e ao dinheiro e know-how da extrema direita americana. É como se os Estados Unidos tivessem posto um chefe de quadrilha no poder, como fizeram tantas vezes com as republiquetas centro-americanas – só que, agora, na maior nação latino-americana. Daí a "doação" da base de Alcântara, daí as inúmeras concessões econômicas e políticas sem nenhuma contraprestação. Tudo isso é Bolsonaro pagando, com o bolso alheio – o nosso – e o nosso futuro, suas reais dívidas de campanha. De outro modo, seu comportamento seria incompreensível. Daí também o próprio desprezo de Trump pelo lambe-botas apaixonado e de coração partido.

No Brasil, passa a ser testada também a aposta radical dos irmãos Koch e companhia de solapar completamente a capacidade estatal de controlar o próprio território. A destruição da floresta amazônica pelo fogo se segue ao desmonte dos órgãos de regulação do Estado que existiam precisamente para prever e controlar atividades desse tipo. O mesmo ocorre na questão do óleo derramado nas praias nordestinas. Claramente a destruição das capacidades estatais é uma política intencional do bolsonarismo. São fundos internacionais os verdadeiros donos da Vale e de seus ataques ao meio ambiente. Os mesmos fundos que querem as previdências e as pensões dos países latino-americanos para engordar seus portfólios e auferir lucros da pirataria financeira. O genocídio dos índios existe para facilitar a mineração ilegal e o aumento das áreas de pastagem. Fundos de pensão investem agora na compra de terras no Brasil. O bolsonarismo permite o avanço de um capitalismo predador externo e interno, enquanto, ao mesmo tempo, possibilita o avanço dos negócios criminosos da milícia, que também se alimenta da destruição das capacidades estatais de proteção às fronteiras e de vigilância – para facilitar o contrabando e o tráfico de drogas.

Qual era o objetivo de Bolsonaro, para citar apenas um exemplo entre centenas de outros possíveis, em seu ímpeto para substituir José Alex de Oliveira no cargo de auditor fiscal que comandava as ações alfandegárias no porto de Itaguaí, no estado do Rio de Janeiro? Alex de Oliveira era a maior instância de comando de uma força-tarefa da Receita Federal responsável pela apreensão de mais de 1 bilhão de reais em mercadorias ilegais em 2018 no pequeno porto de Itaguaí. Uma quantia muito maior do que as apreensões realizadas nos grandes portos do Brasil.[76] Qual o objetivo de Bolsonaro senão o de, intencionalmente, destruir as capacidades estatais de controle e vigilância?

Esse porto estratégico, entre Rio de Janeiro e São Paulo, além de operar navios com cargas chinesas, é um conhecido entreposto para contrabando de armas e tráfico de drogas internacional. Por um desses acasos da vida – para os que acham que a vida é acaso, não conspiração –, caros leitores, a cidade de Itaguaí é também dominada pela milícia carioca da qual os Bolsonaro são os representantes políticos.[77] Certamente é uma teoria da conspiração absurda dizer que o nobre presidente queria facilitar a vida de criminosos da milícia para o contrabando internacional de armas e drogas, não é mesmo? No mesmo sentido, os 39 quilos de cocaína pura apreendidos na Espanha, no avião presidencial, foram um mero acaso. O presidente, homem íntegro e decente, defensor dos valores familiares, sem dúvida não sabia de nada acerca da cocaína no seu voo.

Essas duas lógicas de poder caminham de mãos dadas hoje no Brasil. Primeiro, o projeto da extrema direita americana de expansão rentista neocolonial. O projeto deliberado dos irmãos Koch de destruição das capacidades estatais no mundo todo tem representantes centrais no governo Trump, inclusive, por exemplo, na figura nodal de Mike Pompeo. Pompeo é uma criatura política paga com o dinheiro dos Koch desde seus primeiros passos no Kansas. De repente, as vendas dos produtos das refinarias dos irmãos Koch e de seus amigos das indústrias sujas passam a ser a moeda de troca de Trump nas negociações com a Europa. No Brasil, por sua vez, Bolsonaro sucateia a Petrobras e suas capacidades de refino e passa a importar derivados refinados dos Estados Unidos.[78] Por acaso, esse é o negócio dos irmãos Koch e de sua turma, que têm metade do Partido Republicano no bolso. Faz sentido na sua cabeça, caro leitor e cara leitora, ou é uma conspiração absurda? Você também acha que o mundo funciona por acaso?

No patamar de baixo, Bolsonaro afrouxa todos os controles das atividades ilegais em portos e fronteiras, destrói as capacidades estatais de vigilância e prevenção em todas as dimensões, legaliza o acesso a armamentos e aprofunda o casamento entre o crime, a polícia e os órgãos de controle do Estado – precisamente a origem das milícias. Além disso, intervém em todos os órgãos que atrapalham a atividade miliciana. Recentemente também, a ANP vem estudando uma proposta que autorizaria o comércio de bujões de gás sem bandeira e apenas parcialmente cheios, medida criada com precisão de alfaiate para as necessidades das milícias que controlam esse tipo de negócio, explorando as comunidades mais pobres.[79] A legitimação política desse arranjo abertamente criminoso e patológico, baseado na canibalização da lei e do Estado, é possibilitada por um segundo ataque à soberania popular. O primeiro ataque havia servido, como nos lembra o sociólogo Wolfgang Streeck, para retirar dos Estados nacionais a capacidade de legislar sobre questões financeiras – em favor dos bancos centrais, como instâncias representativas do capitalismo financeiro internacional em cada país. O segundo ataque ao princípio da soberania popular é o uso das redes sociais como mecanismo de manipulação que ataca diretamente as esferas pública e privada.

A empresa responsável pelo aplicativo de mensagens WhatsApp acaba de reconhecer, ela mesma, o seu uso indiscriminado e ilegal na campanha de Bolsonaro.[80] O corregedor eleitoral obviamente se recusou a tomar qualquer medida legal em relação a esse abuso e ainda condenou apenas Haddad e o PT por uma suposta emissão milhares de vezes menor. A lógica do WhatsApp é distinta da de outras mídias sociais públicas. Aqui as conversas são privadas, restritas a grupos de amigos e familiares. Como a fonte das notícias trocadas é desconhecida, a credibilidade de cada notícia é atestada por quem primeiro a enviou para o grupo de amigos e familiares – normalmente o tio, o pai ou um amigo em quem se tem confiança. O segredo da eficácia dessas redes privadas é o anonimato das fontes. Torna-se possível, assim, opor a credibilidade da imprensa ou de fontes alternativas à credibilidade familiar, do pastor religioso ou dos amigos mais próximos. Foi nessas redes que a vitória eleitoral

– já fraudada antes de mil maneiras – de Bolsonaro foi alcançada. É através delas que as bolhas de contrainformação de igrejas e milícias, cada vez mais unidas e indissociáveis, blindam grupos sociais inteiros contra qualquer reflexão crítica.

Essas redes "privatizadas" passam a ser o modo como a legitimação da forma mais destrutiva de capitalismo, que como sempre tem sua origem nos Estados Unidos, pode ser exportada para construir o neocolonialismo predatório que Bolsonaro representa. Sem as redes sociais, todas empresas privadas americanas que pesquisam e trabalham em associação com o Pentágono,[81] não haveria a legitimação do tipo de expropriação neoliberal que a extrema direita americana representa para os Estados Unidos e para o mundo.

Esse foi um assalto claramente planejado e urdido nos mínimos detalhes para permanecer invisível ao público espoliado e manipulado. A democracia pressupõe um espaço social e político de debate público baseado em fatos que podem ser desmentidos. Essa segunda expropriação da soberania popular implica uma institucionalização da mentira e da agressão gratuita como regra em espaços por definição infensos ao contraditório e à possibilidade de crítica. São as mentiras do representante político de uma organização criminosa que posa de perseguido pelos poderes estabelecidos. A sua união recente com a Lava Jato, que também atuava por meio de ameaças e extorsões sistemáticas, representa o risco de contaminar todo o aparelho de Estado e transformá-lo em seu contrário.

O potencial destruidor do amálgama entre a criminalidade miliciana/religiosa, à margem da lei, e o crime de colarinho branco dos Moros e Dallagnols que se apresentam cinicamente como guardiões da lei – e que, para melhor proteger a lei, precisam ficar acima dela – é que as duas quadrilhas utilizam os mesmos métodos. Entre eles estão a extorsão, por meio de "dossiês" que mantêm, por exemplo, metade dos ministros do Supremo nas suas mãos – como inevitavelmente supomos ao ler *"In Fux we trust"* ou o "Ihi Uhu, Fachin é nosso!" –, ameaças veladas ou explícitas, chantagens e até assassinatos como o de Marielle Franco, cujo fantasma ronda a família Bolsonaro. Essa é a base do acordo entre as quadrilhas estatais e paraestatais comandadas ou representadas por Moro e Bolsonaro. Elas ameaçam tomar todo o Estado brasileiro. Ainda existem servidores públicos corajosos que se contrapõem a essa lógica. Mas até quando?

Paulo Guedes, acima dos dois, como representante das elites econômicas conjugadas dos Estados Unidos e da neocolônia, aproveita o clima misto de cinismo e torpor para se apropriar de vez do orçamento público e da poupança popular para doá-los aos bancos. Como todos os proprietários vivem, antes de tudo, do rentismo, a elite e sua imprensa "engolem" Bolsonaro e suas "baixarias" para encher o bolso. Paralelamente, empresas estatais estratégicas, como a Embraer, são vendidas na bacia das almas e a capacidade tecnológica da Petrobras é destruída para atender aos interesses americanos. Como esse saque é pago? O próprio Moro já havia aliviado denúncias de lavagem de dinheiro do próprio Guedes e de suas empresas.[82] Certamente para não melindrá-lo em plena campanha eleitoral de Bolsonaro. Quem ganha com o saque do país e de suas riquezas, caros leitores? E são pagos em que paraíso fiscal?

Sergio Moro "alivia" para os amigos e só persegue líderes populares. Como para a classe média branca e racista que ele representa, seu moralismo de fachada é oco. Mera fachada do ódio de raça e de classe contra o próprio povo. Exposto pela Vaza Jato, esse racismo moralizado se casa com o extermínio de negros e pobres para garantir a hegemonia miliciana na base. Tudo pela vitória da lei contra os bandidos e comunistas. Essa união entre quadrilhas armadas e engravatadas ameaça o Estado e a sociedade. As redes privadas "religiosas/milicianas" criam bolhas inexpugnáveis para uma guerra constante contra o "sistema". Uma verdadeira tradução do populismo de Bannon para a linguagem miliciana: eliminar o que resta de legalidade no país – o Supremo e alguns de seus ministros ainda não extorquidos à frente.

O projeto do bolsonarismo é – como sempre foi e é dito abertamente – o golpe de Estado ditatorial e a instituição da violência criminosa sem peias, com o apoio das milícias armadas e da parte da população ressentida e dominada pela pregação do obscurantismo religioso. De outro modo, seus crimes são tantos e tão vários que é inevitável que venham à tona em alguma disputa intestina pelo poder. Para os que entraram nesse jogo desavisados, apenas munidos de seu racismo e do desprezo ao próprio povo travestido de falso moralismo, chega a hora de reconhecer o erro e agir. Por enquanto, pelo menos enquanto escrevo este livro, ainda é tempo.

NOTAS

Introdução

1   Ver SOUZA, Jessé. *A ralé brasileira*. São Paulo: Contracorrente, 2017; *Os batalhadores brasileiros*. Juiz de Fora: UFMG, 2010; *A classe média no espelho*. Rio de Janeiro: Estação Brasil, 2018; e *A elite do atraso*. Rio de Janeiro: Estação Brasil, 2019.

O racismo científico que finge não ser racista

2   HABERMAS, Jürgen. *Die Theorie des Kommunikativen Handelns*, vol. II. Frankfurt: Suhrkamp, 1986.

3   BOURDIEU, Pierre. *A miséria do mundo*. Petrópolis: Vozes, 2011.

4   WEBER, Max. *Die Wirtschaftsethik der Weltreligionen: Hinduismus und Buddhismus*. Tübingen: Mohr Siebeck, 1998.

5   TAYLOR, Charles. *As fontes do Self*. São Paulo: Loyola, 2005.

6   A França pós-revolucionária, por exemplo, se define como laica, no que será seguida pelos outros Estados-nações mais importantes.

7   Também é decisivo o fato de a questão central da teoria da modernização – Como explicar o desenvolvimento diferenciado entre as diversas sociedades? – não ter sido retomada por nenhuma teoria mais sofisticada, ainda que a teoria da modernização tenha sido criticada inclusive pelos seus antigos defensores mais competentes.

8   Ver KNÖBL, Wolfgang. *Spielräume der Modernisierung*. Weilerswist: Velbrück, 2001.

9   Uso aqui uma adaptação livre do termo cunhado por Edward Said em *Orientalismo*. São Paulo: Companhia das Letras, 2018.

10 SOUZA, Jessé, 2019.

11 Ver, por exemplo, SCHWARTZMAN, Simon. *São Paulo e o Estado nacional*. São Paulo: Difel, 1975; e FAORO, Raymundo. *Os donos do poder*. Porto Alegre: Globo, 1984.

12 Com base em entrevistas empíricas que realizamos, mais de 90% dos brasileiros tendem a identificar os problemas sociais brasileiros com a corrupção estatal. SOUZA, Jessé et al. *Valores e Política*. Brasília: Unb, 2000.

13 BUARQUE, Sérgio. *Raízes do Brasil*. São Paulo: Companhia das Letras, 2001.

14 PARSONS, Talcott et al. *Toward a General Theory of Action*. Nova York: Harper Torchbooks, 1965.

15 O argumento que liga a herança platônica à hierarquia moral do Ocidente talvez tenha sido mais bem desenvolvido em todas as suas consequências por Charles Taylor do que qualquer outro pensador. Ver *Sources of The Self: The Making of The Modern Identity*. Boston: Harvard, 1989.

16 KNÖBL, 2001.

17 Como, por exemplo, EISENSTADT, Shmuel. *Tradition, Wandel und Modernität*. Frankfurt: Surhkamp, 1979.

18 HUNTINGTON, Samuel. *The Clash of Civilizations*. Nova York: Simon and Schuster, 2011.

19 WEBER, 1998.

20 FOUCAULT, Michel. *Vigiar e punir*. Rio de Janeiro: Zahar, 1986.

21 COHN, Gabriel. *Crítica e resignação*. São Paulo: Martins Fontes, 1998.

22 WEBER, Max. *Die protestantische Ethik und der Geist des Kapitalismus*. Tübingen: Mohr Siebeck, 1991.

23 WRIGHT MILLS, Charles. *The White Collar: American Middle Classes*. Oxford: Oxford, 2001.

24 AUTRAN, Jean-Marie. *La France, terre de mission américaine*. Paris: Ed. Vendémiaire, 2017.

25 ÉPOCA NEGÓCIOS. "Procura por esperma americano aumenta no Brasil", disponível em <https://epocanegocios.globo.com/Brasil/noticia/2018/03/procura-por-esperma-americano-aumenta-no-brasil.html> – Acesso: 10 dez 2019.

A fábrica do consenso: a elite funcional do império

26 GULLO, Marcelo. *Insubordinação e desenvolvimento: as chaves do sucesso e do fracasso das nações*. Florianópolis: Insular, 2014.

27 TURNER, Frederick Jackson. *History, Frontier and Section: Three Essays*. Albuquerque: Univ. of New Mexico, 1993.

28 WRIGHT MILLS, Charles. *The Power Elite*. Oxford: Oxford, 2001.

29 GINDIN, Sam e PANITCH, Leo. *The Making of Global Capitalism: The Political Economy of American Empire*. Nova York: Verso, 2015.

30 Ibid, 2015.

31 Ibid. 2015.

32 Nome das conferências realizadas pelos representantes das potências aliadas em Bretton Woods, New Hampshire, Estados Unidos, para regular a nova ordem monetária internacional a ser criada depois da Segunda Guerra Mundial.

33 TOCQUEVILLE, Alexis de. *Democracy in America*. Chicago: Univ. Chicago Press, 2002. Esse livro clássico de Tocqueville foi utilizado, juntamente com uma leitura culturalista de *A ética protestante e o espírito do capitalismo*, de Weber, como base para a construção de um "excepcionalismo americano" baseado na democracia local e participativa. Precisamente o que se perde depois da Guerra de Secessão.

34 LIPPMANN, Walter. *The Public Opinion*. Jersey City: Start Publishing, 2015.

35 BERNAYS, Edward. *Crystallizing Public Opinion*. Nova York: Ig Publishing, 2015.

36 LE BON, Gustave. *The Crowd: A Study of the Popular Mind*, Digireads.com, 2004.

37 BERNAYS, 2015.

A guerra híbrida: ideias envenenadas e juízes corruptos no lugar de bombas e balas

38 KORYBKO, Andrew. *Guerras híbridas – Das revoluções coloridas aos golpes*. São Paulo: Expressão Popular, 2018.

39 LUCENA, Eleonora de e LUCENA, Rodolfo. "Brasil é alvo de guerra híbrida, diz analista", disponível em Tutameia.jor.br <https://tutameia.jor.br/brasil-e-alvo-de-guerra-hibrida/> – Acesso em 16 dez 2019.

40 KORYBKO, 2018.

41 Ibid, 2018.

42 Ibid, 2018.

43 Ibid, 2018.

44 MANN, Steven R. *Chaos Theory and Strategic Thought*. Disponível em <https://archive.org/stream/1992Mann/1992+mann_djvu.txt> – Acesso em 19 dez 2019, p. 66.

45 VALIM, Rafael; MARTINS, Valeska e ZANIN, Cristiano. *Lawfare: uma introdução*. São Paulo: Contracorrente, 2019.

46 Ibid, 2019.

47 Ibid, 2019.

48 Ibid, 2019.

49 ALVES, Cíntia. "Em vídeo, procurador dos EUA admite parceria informal com a Lava Jato". Em Jornal GGN. Disponível em <https://jornalggn.com.br/justica/em-video-procurador-dos-eua-admite-parceria-secreta-com-lava-jato/> – Acesso em 19 dez 2019.

50 VIEIRA, André Guilherme; PERON, Isadora e MUNIZ, Mariana. "MPF suspende criação de fundação bilionária da Lava-Jato". In *Valor Econômico*. Disponível em <https://valor.globo.com/politica/noticia/2019/03/12/mpf-suspende-criacao-de-fundacao-bilionaria-da-lava-jato.ghtml> – Acesso em 19 dez 2019.

A formação do pacto racista e elitista contra o povo

51 Isso é verdade tanto para os autores mais importantes que modernizaram o liberalismo conservador brasileiro no final do século XX, como Fernando Henrique Cardoso e Roberto DaMatta, quanto para alguns dos principais seguidores contemporâneos, como Fernando Haddad e Lilia Schwarcz. Todos seguem à risca as ideias seminais de Sérgio Buarque e Raymundo Faoro que critico.

52 Num contexto em que a grande imprensa como um todo apoiava esses fatos indiscriminadamente, jogar alguém na prisão anos ou meses até que ele emitisse a versão que o "juiz espera" é obviamente uma tortura psicológica. Basta que alguém se ponha na posição de quem foi preso desse modo. Esse foi o caso, por exemplo, de Léo Pinheiro, que mudou o depoimento diversas vezes até que, finalmente, citou Lula e pôde sair da prisão. O comportamento de Moro e de procuradores do MP nesses casos evidencia o uso, fartamente documentado pela Vaza Jato, do cargo público para fins privados, sejam eles pessoais, corporativos ou políticos, usando a autoridade legal e a presunção de imparcialidade para obter vantagens e alcançar fins espúrios.

53 MARTINS, Rafael Moro; AUDI, Amanda; DEMORI, Leandro; GREENWALD, Glenn; e DIAS, Tatiana. "As mensagens secretas da Lava Jato – Parte 7". Em *The Intercept Brasil*. Disponível em <https://theintercept.com/2019/06/18/lava-jato--fingiu-investigar-fhc-apenas-para-criar-percepcao-publica-de-imparcialidade-

-mas-moro-repreendeu-melindra-alguem-cujo-apoio-e-importante/> – Acesso em 21 jan. 2020.

Da guerra contra os pobres à guerra entre os pobres

54 CHOMSKY, Noam. *Requiem for the American Dream*. Nova York: Seven Stories Press, 2017.

55 Distinção meramente analítica, posto que também a distribuição econômica pressupõe o "reconhecimento" de regras morais prévias. Ver o debate entre Nancy Fraser e Axel Honneth em: FRASER, Nancy e HONNETH, Axel. *Distribution or Recognition?* Nova York: Verso, 2003.

56 FRASER, Nancy. *The Old is Dying and the New Cannot Be Born*. Nova York: Verso, 2019.

57 The reduction of equality to meritocracy was especially fateful. The progressive-neoliberal program for a just status order did not aim to abolish social hierarchy but to "diversify" it, "empowering" "talented" women, people of color, and sexual minorities to rise to the top. That ideal is inherently class-specific, geared to ensuring that "deserving" individuals from "under-represented groups" can attain positions and pay on a par with the straight white men of their own class. The feminist variant is telling but, sadly, not unique. Focused on "leaning in" and "cracking the glass ceiling," its principal beneficiaries could only be those already in possession of the requisite social, cultural, and economic capital. Everyone else would be stuck in the basement. Ibid, 2019.

58 STREECK, Wolfgang. *Gekaufte Zeit: die Vertagte Krisis des Democratischen Kapitalismus*. Frankfurt: Suhrkamp, 2015.

59 SOUZA, Jessé. *A ralé brasileira*. São Paulo: Contracorrente, 2017.

60 SINGER, André. *Os sentidos do Lulismo*. São Paulo: Companhia das Letras, 2012.

61 BULLA, Beatriz. "Ministro diz que corrupção é 'cultural' no Brasil". Em *O Estado de S. Paulo*. Disponível em <https://politica.estadao.com.br/noticias/geral,ministro-diz-que-corrupcao-e-cultural-no-brasil,1596341> – Acesso em 23 dez 2019.

A gênese americana da destruição do sonho brasileiro

62 Ver SCHULMAN, Daniel. *Sons of Wichita*. Nova York: Grand Central, 2014; MACLEAN, Nancy. *Democracy in Chains*. Londres: Penguin Books, 2017; e LEONARD, Christopher. *Kochland*. Nova York: Simon and Schuster, 2019.

63 POWELL, Lewis. "The Lewis Powell Memo: A Corporate Blueprint to Dominate Democracy". Disponível em <https://www.greenpeace.org/usa/democracy/the-lewis-powell-memo-a-corporate-blueprint-to-dominate-democracy/> – Acesso em 23 dez 2019.

64 MAYER, Jane. *Dark Money*. Nova York: Anchor, 2016.

65 MURRAY, Charles. *Losing Ground: American Social Policy, 1950-1980*. Nova York: Basic Books, 1984.

A vertigem do racismo à brasileira

66 PUPO, Amanda e PIRES, Breno. "Gilmar vota contra separação de corrupção e caixa dois e ataca procuradores." Em *O Estado de S. Paulo*. Disponível em <https://politica.estadao.com.br/blogs/fausto-macedo/gilmar-vota-contra-separar-corrupcao-e-caixa-dois-e-ataca-procuradores/> – Acesso em 23 jan. 2020.

67 FÓRUM. "Lobista de Bolsonaro nos EUA promove encontro entre Olavo de Carvalho e Steve Bannon", disponível em <https://revistaforum.com.br/global/lobista-de-bolsonaro-nos-eua-promove-encontro-entre-olavo-de-carvalho-e-steve-bannon/> – Acesso em 26 dez 2019.

68 BRESCIANI, Eduardo. "Filho de Bolsonaro diz que marqueteiro de Trump vai ajudar seu pai". Em *Época*. Disponível em <https://epoca.globo.com/filho-de-bolsonaro-diz-que-marqueteiro-de-trump-vai-ajudar-seu-pai-22963441> – Acesso em 26 dez 2019.

69 SOUZA, Jessé. *Os batalhadores brasileiros*. Juiz de Fora: UFMG, 2010.

70 SOUZA, Jessé, 2016.

71 SOUZA, Jessé, 2017.

72 Max Weber chamou esse procedimento, clássico na sociologia histórica, de "possibilidade objetiva". WEBER, Max. *Gesammelte Aufsätze zur Wissenschaftslehre*. Tübingen: J.C.B. Mohr, 1988.

73 SOUZA, Jessé. *A elite do atraso*. Rio de Janeiro: Estação Brasil, 2019.

74 SOUZA, Jessé, 2017 e SOUZA, Jessé, 2010.

75 FÓRUM. "Fórum Entrevista: Igrejas tornaram-se lavanderias para o dinheiro das milícias, diz Jacqueline Muniz." Disponível em <https://revistaforum.com.br/brasil/forum-entrevista-igrejas-tornaram-se-lavanderias-para-o-dinheiro-das-milicias-diz-jacqueline-muniz/> – Acesso em 23 jan. 2020.

76 GUIMARÃES, Arthur; FREIRE, Felipe; LEITÃO, Leslie e MARTINS, Marco Antônio. "Porto de Itaguaí tem R$ 1 bilhão em mercadorias irregulares apreendidas pela Receita Federal desde 2018". Em *G1*. Disponível em <https://g1.globo.com/rj/rio-de-janeiro/noticia/2019/09/13/porto-de-itaguai-tem-r-1-bilhao-em-mercadorias-irregulares-apreendidas-pela-receita-federal-desde-2018.ghtml> – Acesso em 27 dez 2019.

77 BARROCAL, André. "O objetivo da troca de chefe da PF no Rio: salvar a família Bolsonaro". Em *Carta Capital*. Disponível em <https://www.cartacapital.com.br/politica/o-objetivo-da-troca-de-chefe-da-pf-no-rio-salvar-a-familia-bolsonaro/> – Acesso em 27 dez 2019.

78 BELISARIO, Adriano. "Importação de diesel bate recorde no Brasil e EUA são maior fornecedor". Em *Exame*. Disponível em <https://exame.abril.com.br/economia/liderada-pelos-eua-importacao-de-diesel-bate-recorde/> – Acesso em 27 dez 2019.

79 LIS, Laís e MAZUI, Guilherme. "ANP avalia liberar venda de botijão de gás 'parcialmente cheio' e sem marca de distribuidora". Em *G1*. Disponível em <https://g1.globo.com/economia/noticia/2019/07/23/anp-avalia-liberar-venda-de-botijao-de-gas-parcialmente-cheio-e-sem-marca-de-distribuidora.ghtml> – Acesso em 27 dez 2019.

80 CURA, Maria Eduarda. "WhatsApp confirma envio ilegal de mensagens por grupos políticos em 2018". Em *Exame*. Disponível em <https://exame.abril.com.br/tecnologia/whatsapp-confirma-envio-ilegal-de-fake-news-por-grupos-politicos-em-2018/> – Acesso em 27 dez 2019.

81 KORYBKO, 2018.

82 FABRINI, Fábio. "Lava Jato ignorou repasse de Guedes em denúncia contra empresa de fachada". Em *Folha de S.Paulo*. Disponível em <https://www1.folha.uol.com.br/poder/2019/08/lava-jato-ignorou-repasse-de-guedes-em-denuncia-contra-empresa-de-fachada.shtml> – Acesso em 27 dez 2019.

Conheça outro título do autor

A elite do atraso

A elite do atraso se tornou um clássico contemporâneo da sociologia brasileira, um livro fundamental de Jessé Souza, o sociólogo que ousou colocar na berlinda as obras que eram consideradas essenciais para se entender o Brasil.

Por meio de uma linguagem fluente, irônica e ousada, Jessé apresenta uma nova visão sobre as causas da desigualdade que marca nosso país e reescreve a história da nossa sociedade. Mas não a do patrimonialismo, nossa suposta herança de corrupção trazida pelos portugueses, tese utilizada tanto à esquerda quanto à direita para explicar o Brasil. Muito menos a do brasileiro cordial, ambíguo e sentimental.

No âmago da interpretação de Jessé não está a corrupção política. Para ele, a questão a partir da qual se deve explicar a história passada e atual do Brasil – e de suas classes, portanto – não é outra senão a escravidão.

Sob uma perspectiva inédita, ele revela fatos cruciais sobre a vida nacional, demonstrando como funcionam as estruturas ocultas que movem as engrenagens do poder e de que maneira a elite do dinheiro exerce sua força invisível e manipula a sociedade – com o respaldo das narrativas da mídia, do judiciário e de seu combate seletivo à corrupção.

Leia um trecho de
A classe média no espelho

O que será dito acerca da classe média neste livro, o leitor ou a leitora – muito provavelmente pertencente a esta classe social – não ouviu nem leu em nenhum outro lugar.

Estou convencido de que tudo pode ser explicado, até mesmo os assuntos mais complicados, de forma clara e acessível. É o que pretendo fazer aqui, sem banalizar temas complexos nem ceder a superficialidades. Por mais novo e surpreendente que seja o conteúdo, meu objetivo é que qualquer leitor ou leitora possa acompanhar com facilidade a reconstrução histórica e social que faço aqui da classe média brasileira.

Nesse sentido, faço uma aposta com o leitor ou leitora: se chegar ao final deste livro, prometo que você vai mudar, em alguma medida significativa, a concepção que tem de si mesmo, de sua classe social, do seu país e do mundo. Concordando ou discordando do que será dito, aposto que não ficará indiferente. Antes de tudo, porém, teremos de desconstruir as mentiras, pretensamente científicas, que nos contaram a vida toda.

Embora possa ser libertadora e emancipadora, a verdade também pode ser bastante incômoda. Apesar de dizermos o contrário para nós mesmos, todos nós amamos as mentiras que confirmam a vida que levamos na prática e que legitimam as nossas ilusões. E detestamos a verdade que nos mostra que somos diferentes daquilo que imaginamos.

O nosso ego é "inflado" pelas concepções que nos atribuem controle sobre nós mesmos e nos dizem que sabemos de onde viemos, o que somos e o que queremos. Elas também reforçam a ilusão de que a vida em sociedade, com toda a sua complexidade, é de fácil compreensão. Neste mundo, querer é poder. Amamos essas mentiras porque nos dão a impressão de que não somos limitados nem estamos submetidos a constrangimentos e impossibilidades. Temos a impressão de que podemos tudo, basta querer.

Entretanto, são justamente essas mentiras – que somos todos fortes e autônomos e que o mundo é benigno, justo e de fácil compreensão – que nos tornam escravos de uma ordem social determinada. Uma ordem social que tem donos. Tais ideias só se tornaram hegemônicas porque existem aqueles que lucram, e muito, com isso.

É mais fácil explorar as pessoas quando elas acham que são livres e autônomas. É exatamente por isso que existem essas mentiras, que estão por toda parte: nas escolas, nas universidades, no cinema, na televisão, nos jornais, nas propagandas – e em tudo o que vemos e ouvimos desde que nascemos. Essa é a função delas.

O mesmo se dá com a própria ideia de classe social. Como pode existir classe social, se somos todos indivíduos livres, autônomos e poderosos? Por conta disso, inventou-se uma ideia de classe social que não restringe ninguém, não reduz a liberdade de ninguém nem retira a autonomia de nenhum indivíduo. E nenhuma classe social é mais escravizada por essas mentiras sociais de liberdade e de autonomia individual do que a classe média.

O objetivo deste livro é oferecer uma percepção desse segmento fundamental da nossa sociedade, de tal forma que seja superado o superficialismo com o qual ele costuma ser visto atualmente.

Além da mentira que nos faz crer que somos indivíduos livres e autônomos, há outro grande engodo a ser desconstruído: aquele sustentado pelo mito nacional dominante, a partir da idealização servil e "vira-lata" do americano supostamente perfeito e honesto. A classe média brasileira será o principal suporte social dessas mentiras sociais compartilhadas por todos.

A forma particular de vida brasileira – não apenas na política, mas também nas várias dimensões da existência econômica e social – só pode ser compreendida desde essa perspectiva crítica, que leva em conta a violência sutil que se esconde por trás das ideias que fundamentam e justificam nosso comportamento cotidiano.

Além do interesse de gênese e de comparação, o terceiro elemento constitutivo deste estudo é de caráter relacional. Como só se conhece uma classe social quando a relacionamos com as outras, é preciso examinar as relações da classe média com a elite e com as classes populares. As classes não existem isoladas no mundo social, mas sempre em relações de aliança e de disputa pelos recursos escassos com outras classes sociais.

Por isso, esclarecer os fatores que influem tanto nas alianças quanto nas disputas nos permite compreender o comportamento de cada classe social na realidade social e política.

Por fim, vamos reconstituir a trajetória de pessoas concretas, seja da alta classe média, seja da massa da classe média real e estabelecida.

Desde novembro de 2015, quando iniciei o trabalho neste livro, fiz uso de dois tipos de materiais. O primeiro inclui mais de 200 entrevistas qualitativas em profundidade com membros da classe média, conduzidas no âmbito do projeto Radiografia da Sociedade Brasileira, uma pesquisa de abrangência nacional, que coordenei enquanto presidente do IPEA (Instituto de Pesquisa Econômica Aplicada). O segundo tipo de material abrange dezenas de entrevistas que realizei pessoalmente entre 2016 e 2018, com pessoas de classe média, em diversas cidades brasileiras.

Visando tornar mais atraente o conteúdo dessas entrevistas, assim como explicitar os vínculos entre os tipos individuais e os tipos mais universais de uma classe, decidi fazer uso de um procedimento consagrado: mesclar várias entrevistas para criar os indivíduos mais característicos a fim de delinear os "tipos ideais" da classe média brasileira. "Ideal" não com o sentido de modelo ou exemplo, e sim de "construção ideacional", de uma ideia elaborada a partir da realidade concreta para destacar as características mais relevantes da amostragem original que fundamentou a pesquisa.

Espero que este texto possa contribuir para a autocompreensão tanto dos indivíduos dessa classe social – da qual faço parte – quanto da sociedade brasileira como um todo.

◆ ESTAÇÃO ◆
BRASIL

ESTAÇÃO BRASIL é o ponto de encontro dos leitores que desejam redescobrir o Brasil. Queremos revisitar e revisar a história, discutir ideias, revelar as nossas belezas e denunciar as nossas misérias. Os livros da ESTAÇÃO BRASIL misturam-se com o corpo e a alma de nosso país, e apontam para o futuro. E o nosso futuro será tanto melhor quanto mais e melhor conhecermos o nosso passado e a nós mesmos.